A380
AIRBUS A380
A380

徹底大解剖！ A380のすべて

史上最大の旅客機『エアバスA380』

飛行機が飛べるひみつにせまっていこう

総2階建ての客室をもつ史上最大の旅客機である「A380」は，ヨーロッパの国際共同会社である「エアバス社」によってつくられました。

A380の全長（機首から機体後部まで）は72.72メートル，全幅（主翼の端からもう一方の端まで）は79.75メートルです。この大きさは，一般的なサッカーグラウンドの大きさ（105メートル×68メートル）を思い浮かべると想像しやすいでしょう。さらに，地上から垂直尾翼の先端までの高さは24.09メートルと，8階建てのビルに相当します。**重量は，機体と燃料，そして乗客と貨物を合わせると，最大で560トンにもなります。**

なぜ，このような重くて巨大な金属のかたまりが，空を飛べるのでしょうか。A380が空を舞うためにそなえたさまざまなしくみをみていきながら，飛行機が飛べるひみつにせまっていきましょう。

A380の基本データ

全幅 79.75m

超絵解本

なぜ空を飛べるのか

飛行機のしくみ

身近な旅客機から未来の航空機まで

はじめに

飛行機の窓から見おろす景色を眺めながら，
重さ数百トンもある金属のかたまりがなぜ空を飛べるのか，
ふと不思議に感じた経験はないでしょうか。

安全に離陸や着陸を行い，安定した飛行を維持するため，
飛行機には翼や胴体，エンジンなどあらゆるところに，
おどろくべきしくみが隠されているのです。

また，コックピットや客室，貨物スペース，
飛行機が離着陸する空港にもたくさんのひみつがあります。

この本では，そんな飛行機のすべてをわかりやすく解説しています。
航空機開発の歴史や次世代の飛行機も紹介しています。
飛行機の魅力がつまった一冊，ぜひお楽しみください！

1 徹底大解剖！ A380のすべて

2 いざテイクオフ！ 空を飛ぶひみつ

超絵解本

3 飛行機の中に隠れたおどろきのひみつ

4 まだまだある! 飛行機に関するひみつ

5 空を夢みた人類の歴史

6 最新の飛行機と次世代航空機

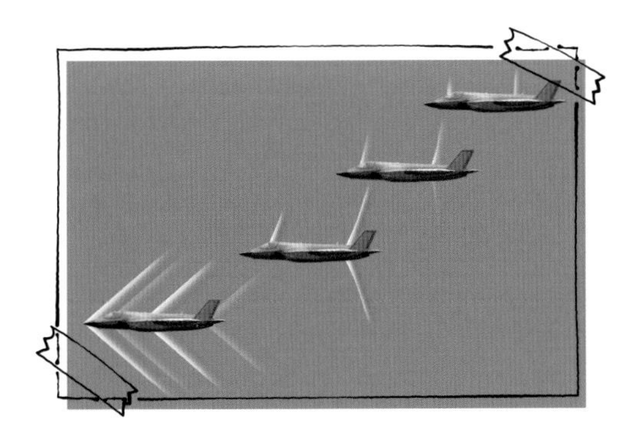

1

徹底大解剖！A380のすべて

重さが数百トンもある金属のかたまりが，なぜ空を飛べるのでしょうか。第1章では，全長73メートル，全幅80メートル，最大重量560トンにもおよぶ史上最大の旅客機である「エアバスA380」を解剖することで，飛行機に隠されたひみつにせまります。

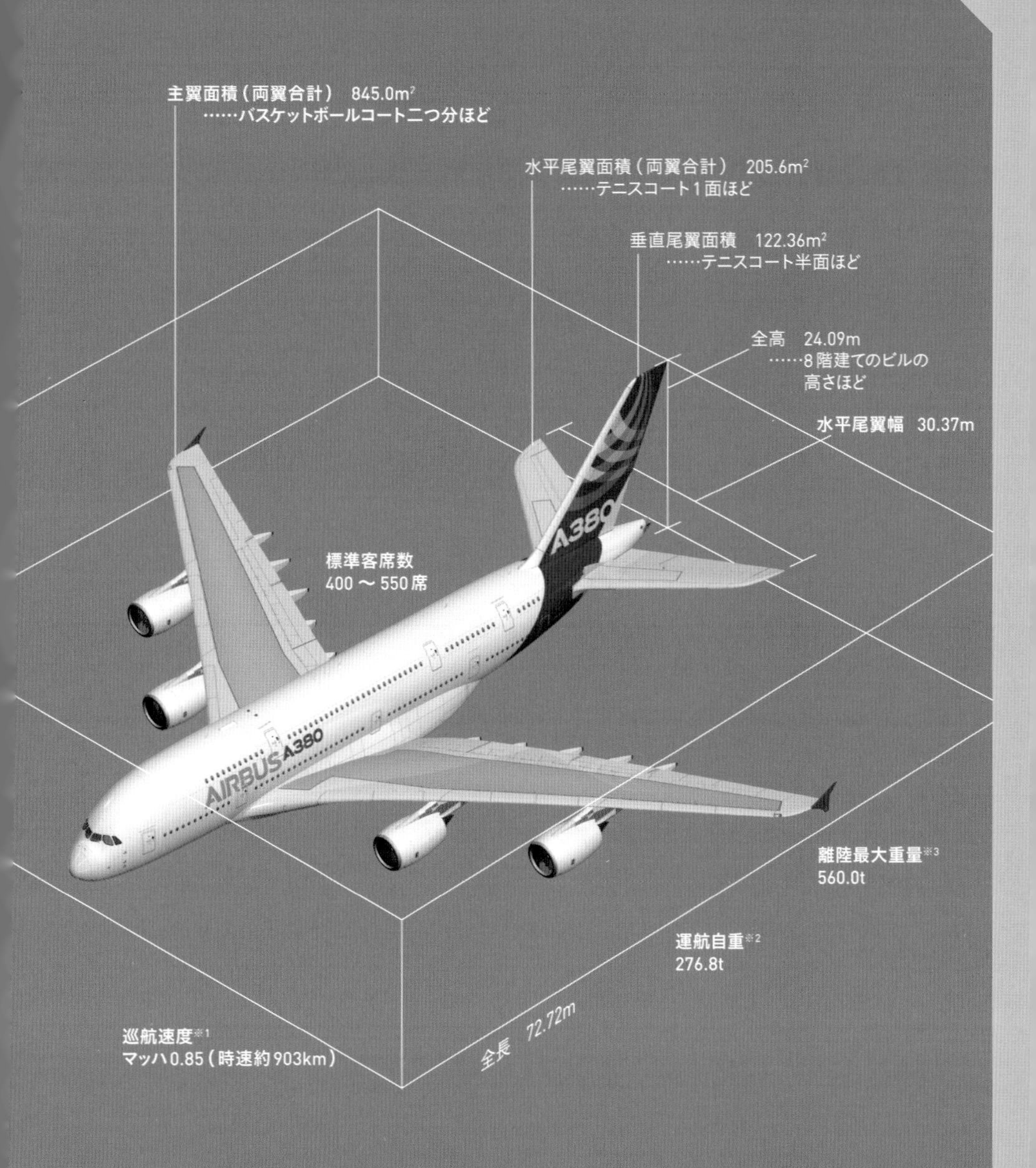

※1：最も経済的な飛行ができるときの速度（音速は飛行高度の温度によって変化します）
※2：機体重量に，乗員とその手荷物，旅客へのサービス用品，食料などの重量を加えたもの
※3：離陸することができる最大の機体全体の重量

まずはA380の全容をみていこう

床面積は，ジャンボジェットの1.5倍！

最初に，A380の内部のようすをみてみましょう（12～17ページ）。機体前方は客室を，機体後方は胴体を構成するパネルをえがいています。内装は航空会社によってことなり，イラストでは，全日本空輸株式会社（ANA）のA380の客席配置をえがいています。

A380の客席は総2階建てであり，ANAのA380では，2階前方にファーストクラス8席，その後方にビジネスクラス56席，さらに後方にプレミアムエコノミークラスが73席，そして1階にはエコノミークラスが383席あります。従来機にくらべて，客室内が非常に静かであるという特徴があります。

A380の床面積は，「ジャンボジェット」の愛称で親しまれたアメリカのボーイング社の旅客機「ボーイング747」の，およそ1.5倍にもなります。このためA380は，「スーパージャンボ」とよばれることもあります。

レドーム

機体の先端の丸まった部分を「レドーム」とよびます。ここには，最長約600キロメートル先までの気象状況を把握するためのレーダー装置がおさめられています。この装置により，あらかじめ雲の位置や大きさをとらえ，乱気流を避け，機体のゆれを最小限におさえることができます（くわしくは88ページ）。

サービスドア
機体右側のドア。次のフライトの食事や販売品を機内に搬入するために使用します。また，非常脱出口としての役割もにないます。

客席
標準座席は4クラス式（ファースト・ビジネス・プレミアムエコノミー・エコノミー）で，座席数は400〜550席です。イラストでは，ANAの客席配置をえがいています。なお，ANAのA380では，エコノミークラス後方の6列60席がカウチシート（ANA COUCHii）となっています（イラストではえがいていません）。

アンテナ
地上の管制塔と交信をする「通信用アンテナ」や，GPSの電波を受信する「航法用アンテナ」など，さまざまなアンテナが，機体の各所に取りつけられています。

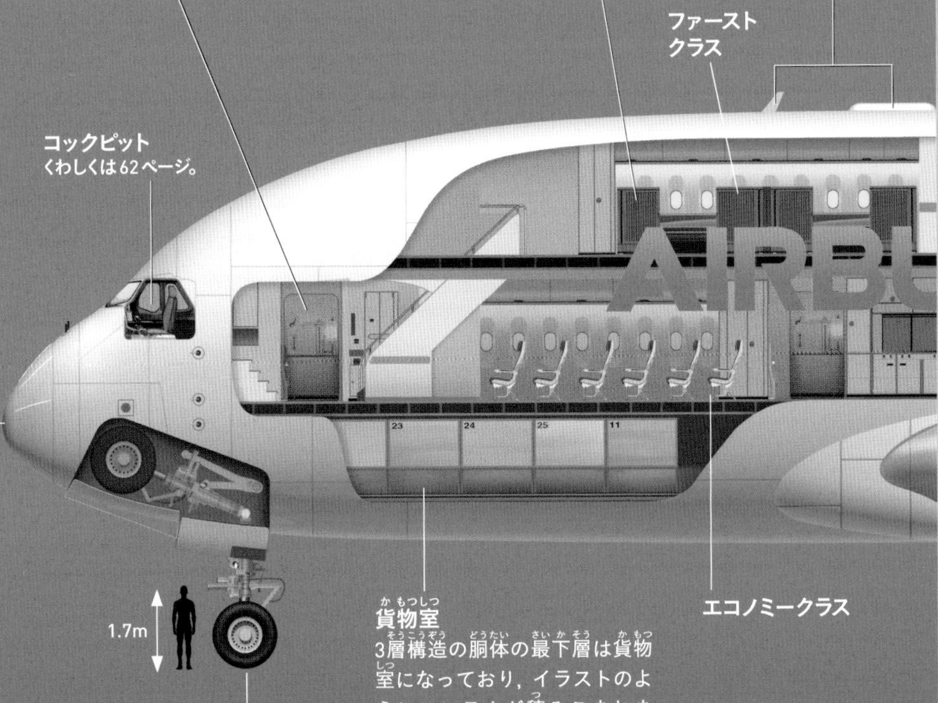

ファーストクラス

コックピット
くわしくは62ページ。

AIRBU

23 24 25 11

エコノミークラス

1.7m

ノーズギア

貨物室
3層構造の胴体の最下層は貨物室になっており，イラストのようにコンテナが積みこまれます。積める貨物の最大重量（最大ペイロード）は約91トンと，旅客機では最大です。

塗装
塗装は，単に会社のロゴなどをえがくだけのものではありません。さび止めなどの，重要な役割があります。塗装の厚みは0.1ミリメートルと非常に薄いにもかかわらず，全体では数トンもの重量になるといいます。

上部衝突防止灯
ほかの飛行機との衝突を防ぐための航空灯。離陸のための移動をはじめる前に点灯を開始し，運航中は昼夜関係なくつねに点灯しています。

ギャレー
食べ物の調理や準備を行う場所。（くわしくは68ページ）

エコノミークラス

ターボファンエンジン
A380には，4基のターボファンエンジンが搭載されています（くわしくは58ページ）。

胴体
オール2階建ての客席と貨物室の，合わせて3層構造となっています。新素材を使用して胴体のフレーム間隔を従来構造の2倍に広げることで，軽量化を実現させました（くわしくは64ページ）。

パッセンジャードア
機体左側のドア。機体前方のドアは乗客の乗り降りに，機体後方のドアは荷物の搬入や非常脱出口として使用されます。

ビジネスクラス

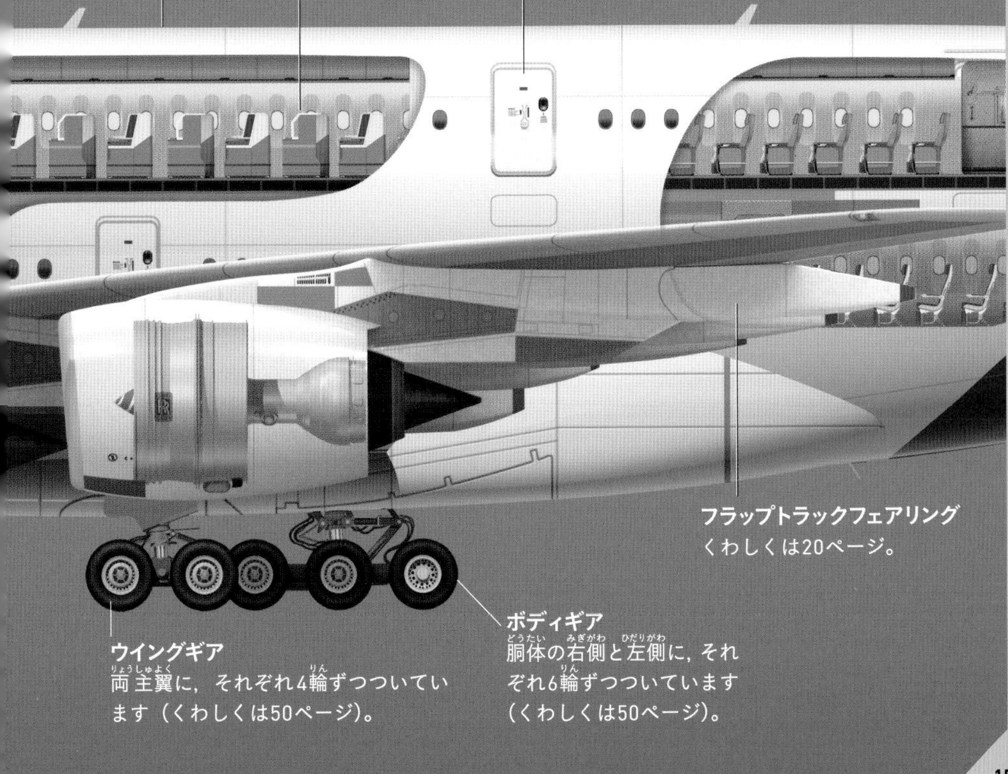

複合材料

巨大なA380にとって，機体の軽量化は必須です。そのため，A380の水平尾翼や垂直尾翼，2階席のフロア，後部圧力隔壁などには，軽くて強いという特徴をもつ，「炭素繊維強化プラスチック（CFRP）」などの複合材料が使用されています。CFRPは炭素繊維をエポキシ樹脂で固めたもので，軽さと強度をあわせもつという特徴があります（くわしくは64ページ）。

ウイングチップ・フェンス

翼の端にできる渦がつくりだす空気抵抗を減らす役割をもちます（くわしくは84ページ）。

アウトフローバルブ

客席内にはつねに，エンジンで取りこんだ新鮮な空気が送りこまれています。その量は，1分間に数十万リットルにもおよび，10分ほどで客室内の空気は一新されます。アウトフローバルブは，この空気循環のために，客室内の古い空気を排出する弁です。空気の排出量を加減することで，機内の気圧を調整する役割も果たしています。

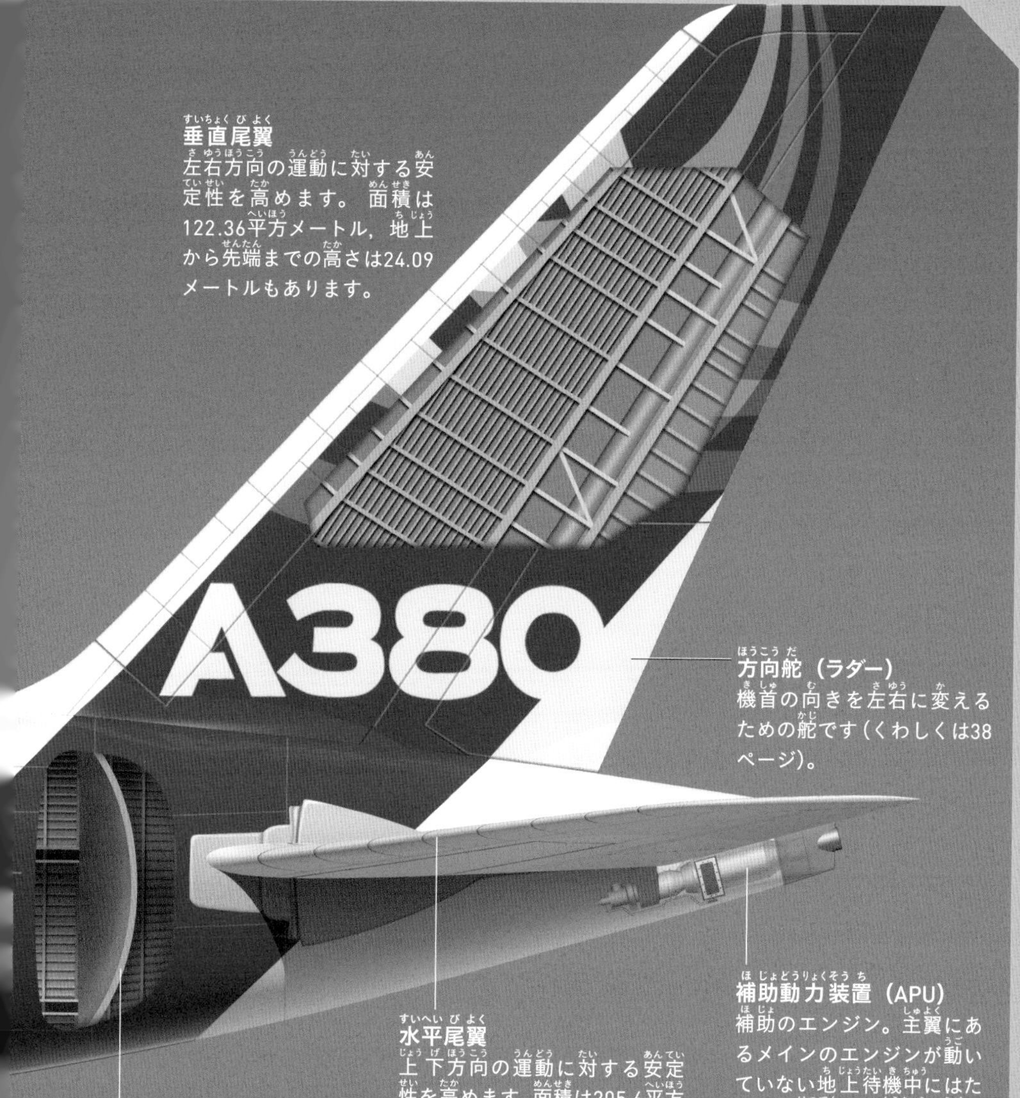

垂直尾翼

左右方向の運動に対する安定性を高めます。面積は122.36平方メートル，地上から先端までの高さは24.09メートルもあります。

方向舵（ラダー）

機首の向きを左右に変えるための舵です（くわしくは38ページ）。

補助動力装置（APU）

補助のエンジン。主翼にあるメインのエンジンが動いていない地上待機中にはたらいて発電し，空調を動かしたり照明をつけたりすることに利用されます（この用途では空港設備の地上電源を使用する場合もあります）。また，メインのエンジンを起動させるための動力も供給します。

水平尾翼

上下方向の運動に対する安定性を高めます。面積は205.6平方メートル，幅は30.37メートル。

後部圧力隔壁

旅客機が飛ぶ上空10キロメートルという高高度でも酸欠にならないよう，コックピットや客席は加圧（与圧）されています。この与圧されている胴体部分と，それより後ろの尾部を分ける壁が，後部圧力隔壁です。

機内を与圧すると，機外と機内の間に圧力差が発生し，胴体の構造材にはふくらむ方向に力がかかります。胴体部分は，この力に耐える強度が必要となります。隔壁より後ろ側の部分は与圧する必要がないので，外気にさらされています。

徹底大解剖！ A380のすべて

胴体の幅よりもはるかに長い主翼

4基の巨大なターボファンエンジンを搭載

今度はA380の性能について，くわしくみてみましょう（18〜23ページ）。

A380を前から見ると，胴体の大きさにくらべて，主翼が非常に長いことがわかるでしょう。この長い翼が生みだす「揚力」（くわしくは82ページ）によって，A380は空を飛ぶことが可能になるのです。

主翼には，左右合わせて4基の巨大なターボファンエンジンが搭載されています。エンジンの重さは，1基で約6.5トンもあります。翼が折れてしまわないのは，主翼やその付け根部分が軽くて強い「アルミニウム合金」でつくられているためです。

A380は，マイナス30℃の極寒の中でエンジン性能を確かめる「寒中テスト」や，砂漠地帯で実施される「猛暑テスト」などを含め，2500時間以上におよぶテストフライトを経て，2007年に完成しました。

位置灯（緑）
夜間でも，旅客機の進行方向がわかるようにするためのライト。どの旅客機も，主翼の左先端には赤色の，右先端には緑色の位置灯がついています。そのため，前方にほかの飛行機が見えたとき，位置灯の色によって，その飛行機が近づいているのか，それとも遠ざかっているのかを瞬時に判断することができます。

主翼

重く，巨大なA380を浮かせるための「揚力」を生みだす翼。全幅が79.75メートルもあるにもかかわらず，その厚さは平均して1メートルほどしかありません。主翼はほぼアルミニウム合金でつくられており，主翼の中は燃料タンクとなっています（くわしくは30〜33ページ）。また，主翼の「エルロン」を動かすことで，旋回運動（方向転換）が行えます（くわしくは42ページ）。

ターボファンエンジン

大量の空気を吸いこみ，ファンで加速して噴出させることで，推力を得ます。空気を吸入するファンの直径は約3メートルもあり，毎秒約1トンの空気を時速560キロメートルの速さで取りこみます。推力は最大で34.5トン重で，燃焼温度は2000℃をこえます。また，客室内や操作系統に電気を供給する発電機の役割もかねています(くわしくは58〜61ページ)。

　エンジン中央部につけられたらせん模様は，鳥の衝突（バードストライク）を防ぐ目的のほか，エンジンが回転しているか止まっているかを整備士がすぐに把握できるようにする，という役割があります。

降着装置

降着装置は，タイヤやホイール，緩衝装置などからなります。A380には，機体前方についたノーズギア（2輪），胴体についたボディギア（計12輪），主翼についたウイングギア（計8輪）を合わせて，計22個のタイヤがついています。

ウイングギアおよびボディギアのタイヤの直径は140センチメートル，幅53センチメートル。一方，ノーズギアのタイヤは少し小さく，直径127センチメートル，幅45.5センチメートルです。この巨大なタイヤと緩衝装置で，着陸の衝撃を吸収します（くわしくは50ページ）。

フラップトラックフェアリング

「フラップ」（くわしくは34ページ）を動かすための装置。フラップとは，主翼の後ろ側に張りだすことで，より大きな「揚力」をつくりだすことができる装置です。フラップを動かすジャッキや，フラップが沿って動くレールなどが入っています。飛行中の空気抵抗を減らすため，カバーで覆われています。

アイスディテクター
エンジンや翼が氷結すると，故障や失速の危険性が発生します。そこで，この「アイスディテクター」というセンサーによって，機体の着氷を検知しています。もし着氷が検知された場合，翼の前縁部を温めて着氷を防ぐなどの対策をとります。

ピトー管
飛行速度を測定する装置。空気の圧力は静圧（大気圧）と動圧（運動によって生じる圧力）に分けられます。ピトー管はこれらの和（総圧）を測り，ピトー管の前面にある「静圧孔」は静圧を測ります。これらの値から，対気速度（大気に対する相対的な飛行速度）を求めることができます。

コックピット
操縦士（機長）と副操縦士が乗り，飛行機の操縦を行う場所。基本的に，一方の操縦士が操縦を行い，もう一方の操縦士は管制塔との無線通信などを行います（くわしくは62ページ）。

着陸灯
滑走路を照らすための白熱灯。

静圧孔

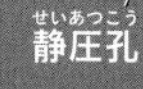

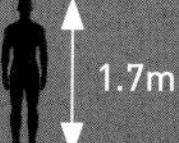

ウイングギア（4輪）　ボディギア（6輪）　ノーズギア（2輪）　ボディギア（6輪）　ウイングギア（4輪）

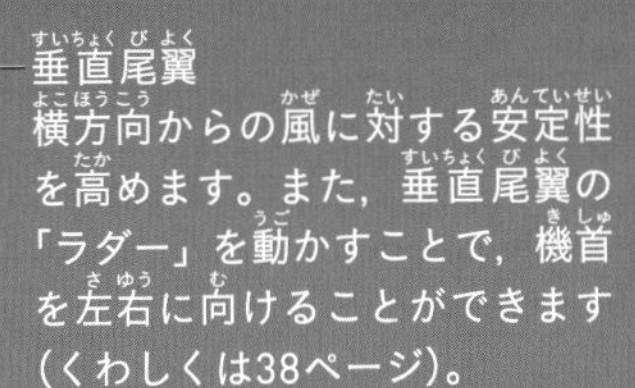

垂直尾翼

横方向からの風に対する安定性を高めます。また，垂直尾翼の「ラダー」を動かすことで，機首を左右に向けることができます（くわしくは38ページ）。

水平尾翼

上下方向の運動に対する安定性を高めます。また，水平尾翼の「エレベーター」を動かすことで，機首を上下に向けることができます（くわしくは40ページ）。水平尾翼の中も，主翼と同様に燃料タンクとなっています（くわしくは28ページ）。

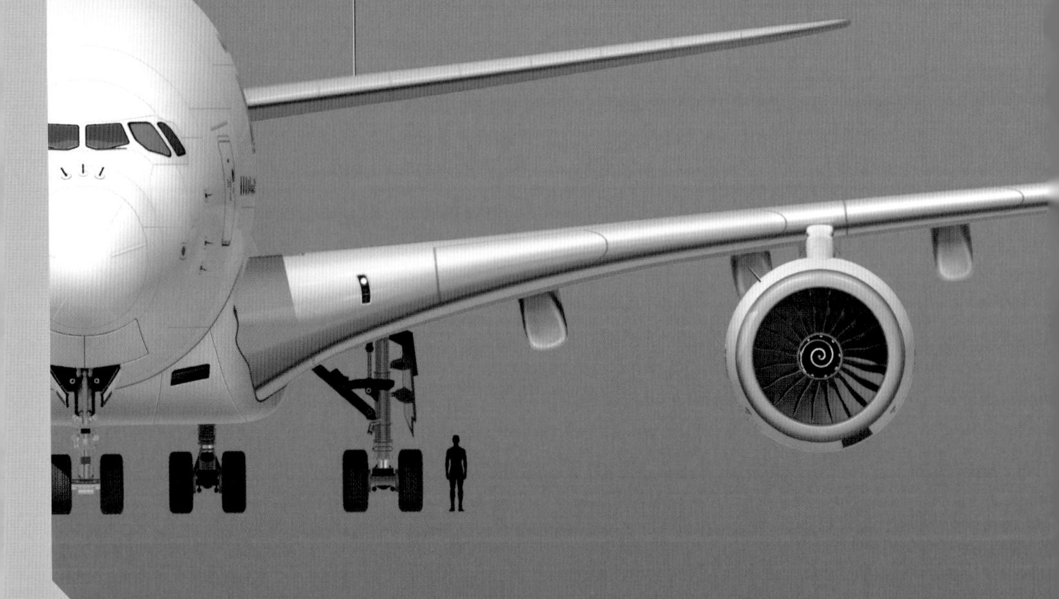

ウイングチップ・フェンス

飛行中，主翼の下面と上面には気圧差ができるため，下面から上面にまわりこむ渦が発生します。これを「翼端渦」といいます（くわしくは84ページ）。翼端渦は空気抵抗を増加させ，飛行機の燃費を悪化させてしまうため，これを防ぐよう，翼端の形状にはくふうが加えられています。

A380の主翼の先には，「ウイングチップ・フェンス」とよばれる小さな“矢じり”のようなものがついています。これを取りつけることで，下面から上面へと，空気の流れがまわりこまないようにしているのです。ウイングチップ・フェンスをつけるだけで，燃費が約5％も向上するといいます。

位置灯（赤）

Column

コーヒーブレーク

これからの日本の空を支えるA350

2019年，エアバス社製の新型旅客機「A350」シリーズが日本国内で運航を開始しました。A350には「A350-900」と，「A350-1000」の2機種があります。A350は短距離から超長距離まで幅広い路線に対応する旅客機です。運航できる最大の距離は「A350-900」が1万5000キロメートル（日本-ニューヨーク間の距離は1万844キロメートル），「A350-1000」はさらに長距離の1万6100キロメートルです。

A350には，さまざまな最先端の技術が使われています。A380では「炭素繊維強化プラスチック（CFRP）」を機体の約25%の部分に使用していましたがA350では，なんと53%の部分に使われています。また，A350には鳥の翼のしくみを模倣した，大型旅客機としては史上初の技術が使われています。鳥は体に受ける風や気圧のぐあいに応じて翼の形や傾きを調節することで，空気抵抗を最小化しています。A350は機体に搭載されたセンサーで風を検知し，その強さに応じて主翼の後部についている「フラップ」を最適に動かすことで，空気抵抗を小さくしています。**このような技術を数多く導入することで，燃料消費量とCO_2排出量，運航コスト（整備費や燃料費など）を前世代の旅客機から25%も削減することに成功したのです。**

A350-900のスペック一覧

（　）内はA350-1000

全長	66.80m（73.79m）
キャビンの長さ	51.04m（58.03m）
胴体幅	5.96m（5.96m）
最大キャビン幅	5.61m（5.61m）
全幅	64.75m（64.75m）
全高	17.05m（17.08m）
トラック（主脚間の距離）	10.60m（10.73m）
最遠軸距（前輪軸と後輪軸の間の距離）	28.66m（32.48m）

（　）内はA350-1000

最大座席数	440席（440席）
3クラス制の標準客室※1の座席数	300～350席（350～410席）
床下貨物室に収容できるLD3※2タイプのコンテナの数	36個（44個）
床下貨物室に収容できるパレットの数	11個（14個）
水量（床下貨物室の容積）	223 m^3（264 m^3）

※1：エコノミークラス，ビジネスクラス，ファーストクラスの3クラスのシートからなる標準タイプの客室
※2：LD3とはコンテナの仕様

これはエアバス社製の最新型旅客機「A350-900」の機体です。日本では日本航空（JAL）が2019年9月に羽田-福岡間で運航を開始しました。JALは2023年冬に，国際線でもA350を運航する予定です。

2

いざテイクオフ！空を飛ぶひみつ

飛行機は滑走路をさっそうと離陸し，空へと飛び立ちます。上空では見事に姿勢を制御しながら，目的地に向かって安定した飛行をみせます。そして，空中から地上へと，正確におり立ちます。この章では，おどろくべき飛行のメカニズムにせまります。

いざテイクオフ！　空を飛ぶひみつ

飛行機の燃料は，どこにためられている？

燃料は，翼の中にある

ここからはいよいよ，A380がどのように空を飛ぶのかをみていきましょう。

飛行機が空を飛ぶためには，丈夫な翼が必要です。飛行機の翼は，内部で「スパー」という仕切りと「リブ」という仕切りを縦横に組み合わせ，そこに「ストリンガー」という細長い骨材を加えて補強することで強度を保っています。

飛行機の翼の構造は，箱を並べたような形状になっており，飛行機の血液ともいえる「燃料」は，この翼の中にためられています。A380の場合，燃料は，主翼内（メインタンク）だけでなく，水平尾翼内（トリムタンク）にもおさめられています。総容量は32万5550リットル（26万440キログラム。燃料1リットルあたり0.8キログラムで計算）にもおよびます。

リブ
翼の流線形の断面をつくりだす骨材。

スパー
翼のメインとなる骨材。

注：外板を支える骨材の「ストリンガー」はここにはえがかれていません。

A380の燃料タンクの位置

燃料タンクは，主翼と水平尾翼にあり，主翼内のタンクはさらに複数に分けられています（タンクの境目を黄色の点線で示しました）。燃料は，ポンプを通じてそれぞれのエンジンに供給されます。最大出力では，1基のエンジンで1秒間に6リットルもの燃料を消費します。

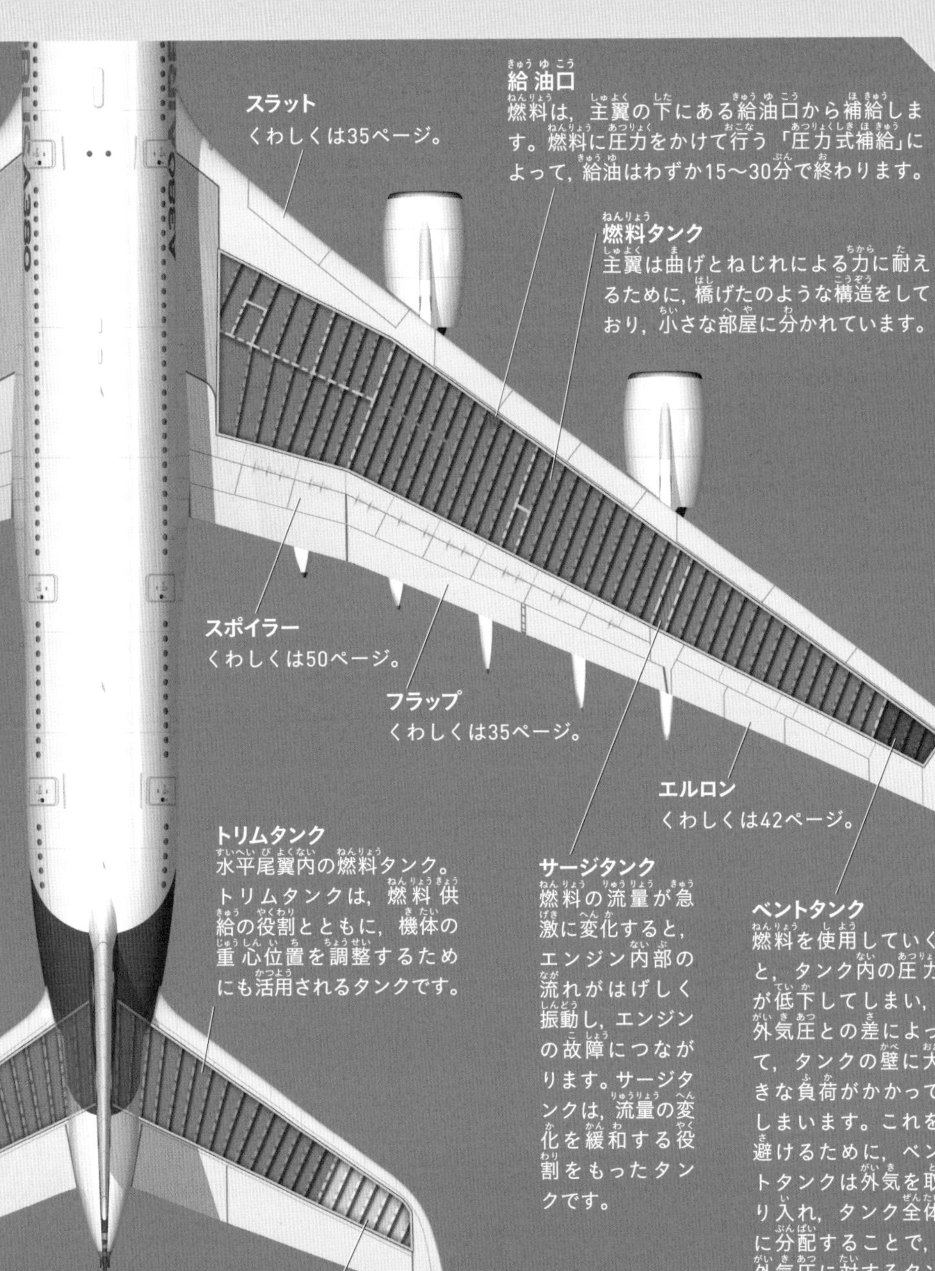

ベント／サージタンク

ベントタンクとサージタンクの，両方の役割をかねそなえたタンク。

いざテイクオフ！　空を飛ぶひみつ

燃料で飛行機の重心を調節している

燃料は「おもし」の役割も果たしている

おもしの役割を果たす燃料

燃料を胴体に積んだ場合と，燃料を翼に積んだ場合の，主翼にかかる力のちがいをあらわしました。燃料を主翼に積むと，燃料にかかる重力の分だけ，翼の付け根にかかる負担が小さくなります。主翼につるしたエンジンも，同じ効果をもちます。

燃料を胴体に積んだ場合

燃料が主翼内にためられている理由は，大きく二つあります。

一つ目の理由は，「重心」の問題です。機体の重心は，主翼付近にあります。**もし燃料が主翼付近になければ，燃料を大量に積んだ状態の離陸時と，燃料がほとんど残っていない状態の着陸時とで，重心の位置が大きく変わってしまいます。**これでは，飛行機の操縦は非常にむずかしいものになってしまうでしょう。

二つ目の理由は，「おもし」の役割です。飛行中，主翼には上向きに「揚力」（くわしくは82ページ）がはたらきます。これは，機体全体の重量に相当する，巨大な力です。A380の場合は，片翼で最大280トンもの力がはたらきます。一方で主翼には，重力という下向きの力もはたらきます。**燃料を翼に積むことで，その燃料の重さの分だけ，主翼の付け根に作用する荷重を小さくすることができるのです。**

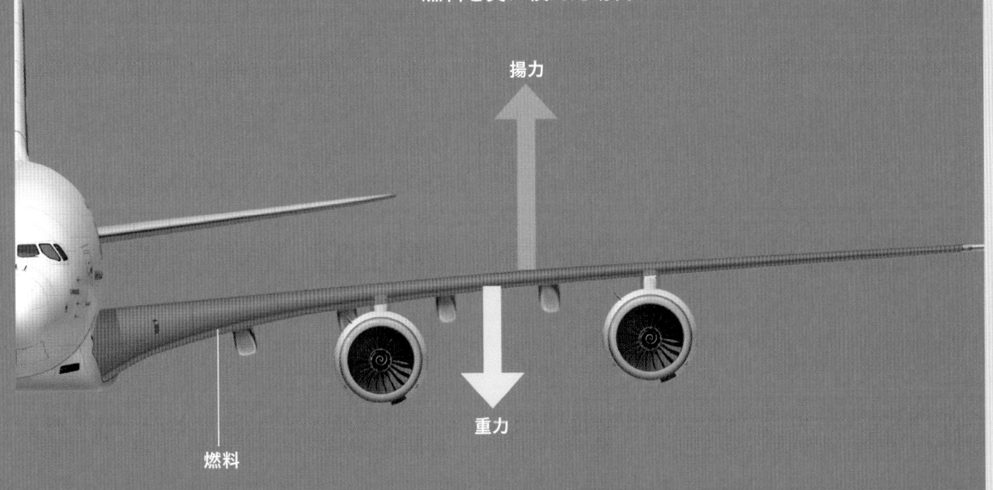

いざテイクオフ！　空を飛ぶひみつ

離陸のときに翼にかかる力『揚力』とは

主翼には上向きの力，水平尾翼には下向きの力がかかる

飛行機が，空気の流れを利用して飛ぶことができるひみつは，飛行機のもつ「翼」にあります。

飛行機の翼は，前方から来る風を受けることで，効率よく翼の上側を向く力を発生させることができます。 この飛行方向に対して垂直な力を，「揚力」といいます（くわしくは82ページ）。飛行機は，空気（流体）がもつこの性質をいかして，自分の体を浮かせているのです。

飛行機の主翼には，上向きの揚力が発生します。しかしそれだけでは，飛行機は浮き上がりません。上昇するためには，機首をもち上げる必要があります。**離陸の際は，水平尾翼に発生する下向きの揚力を大きくさせます。** すると機体後部が下に押しつけられて，機首がもち上がります。その結果，主翼に角度がつくので発生する揚力が大きくなり，飛行機は浮かび上がることができるのです。

機首が上がる

離陸時に翼で発生する揚力

離陸の際，飛行機は水平尾翼の下向きの揚力を増加させ，機体後部を下げます。その結果，機首がもち上がり，主翼で発生する揚力が大きくなることで，飛行機は浮き上がります。

主翼の揚力（上向き）

機体後部が下がる

A380

水平尾翼の揚力（下向き）

スムーズに離陸ができるしくみ

主翼と水平尾翼の後部を動かす

飛行機がどのように揚力を変化させて離陸するのか，翼のはたらきを追いながら，みていきましょう。

揚力は，飛行機の速度が大きいほど，翼の面積が大きいほど，大きくなります。そこで利用するのが，主翼の後部にある，前後に動く「フラップ」です。**このフラップをおろし，主翼の面積を大きくすることで，得られる揚力を大きくするのです。**フラップには，翼の後端を下方に曲げ，空気の流れを下向きに変えることで，揚力を増すはたらきもあります。

機首をもち上げるときに利用するのが，水平尾翼の後部についている，上下に動く「エレベーター」です。**このエレベーターを上げて，気流の角度を変えることで，水平尾翼に発生する下向きの揚力を大きくします。**

こうして飛行機は，主翼のフラップと水平尾翼のエレベーターを利用して揚力を変化させて，大空へと飛び立つのです。

主翼と水平尾翼がつくりだす揚力

A380がスピードを上げ，離陸するまでの過程をえがきました（1〜3）。離陸時，A380は約3キロメートルの滑走路を走り，時速約300キロメートルまで加速します。そして，水平尾翼の「エレベーター」を上げることで機首を上げ，離陸します。

1. 飛行機は徐々にスピードを上げます。「離陸決心速度（V_1）」とよばれる速度をこえると，たとえその後エンジンの一部が停止したとしても，そのまま加速して離陸します。ブレーキをかけて止まろうとしてもオーバーランするためです。また，このときすでにフラップはおろされています。

2. さらに飛行機の速度が上がり，「機首上げ開始速度（V_R）」に達すると，操縦士は水平尾翼の「エレベーター」を上に向けます。すると，水平尾翼に発生する下向きの揚力が増大することで機首がもち上がり，前輪（ノーズギア）が地上をはなれます。

3. 機首が上を向くことで，主翼に空気が当たる角度（迎え角）が大きくなります。迎え角が大きくなると揚力も大きくなるため，飛行機は浮き上がることができます（くわしくは86ページ）。

スラット

フラップと同様に揚力を増す機能をもつ装置。前縁を丸くすると同時に，前に張りだして主翼との間に小さなすき間をつくります。このすき間を通って下面の空気の流れが上面にまわりこむことで，主翼のまわりの空気の流れがスムーズになり，揚力が大きくなります。

機首

離陸の際は，約15度の傾きで上昇します。

主翼で発生する上向きの揚力

フラップ

フラップ

高揚力装置ともよばれます。主翼の面積が大きければ大きいほど，主翼で発生する揚力も大きくなります。離着陸時など速度が遅いときは，フラップをおろすことで揚力をおぎないます。また，翼の後端を下方に曲げることで揚力を増すはたらきもあります。

エレベーター

上下に動かすと，水平尾翼に対する気流の角度が変わり，機首の向きを上下に変えることができます。離陸の際は，エレベーターを上げることで機首を上に向けます。

水平尾翼で発生する下向きの揚力

いざテイクオフ！　空を飛ぶひみつ

突風にも対応できるのは尾翼のおかげ

垂直尾翼と水平尾翼によって安定化される

飛行機は離陸後，どのような姿勢制御や操縦を行いながら，目的地に向かうのでしょうか。36〜43ページでは，安定飛行のしくみをみていきましょう。

飛行機は，突発的な風を受けても，すぐに安定した姿勢を取りもどすことができます。これは，垂直尾翼と水平尾翼のおかげです。

たとえば突然の風を受けて，機首が左を向いてしまったとしましょう。すると機体は，右側から風を受けることになります(1)。垂直尾翼に気流が当たる角度が変わることで，垂直尾翼には右側から左側に向けて揚力が生じます(2)。機体後部がこの力によって左に振れることで，機首は逆に右を向こうとします(3)。こうして垂直尾翼のおかげで，機首は自然と元の向きにもどるのです。

機首の左右のゆれが垂直尾翼によって安定化されるように，機首の上下のゆれは水平尾翼によって安定化されます。

垂直尾翼による姿勢制御

垂直尾翼による姿勢制御のしくみを示しました。突風などにより機首の向きが変わったとしても，自然と元の向きにもどるような力が発生します。このしくみは，風見鶏がつねに風上を向くことにちなんで，「風見安定」とよばれます。

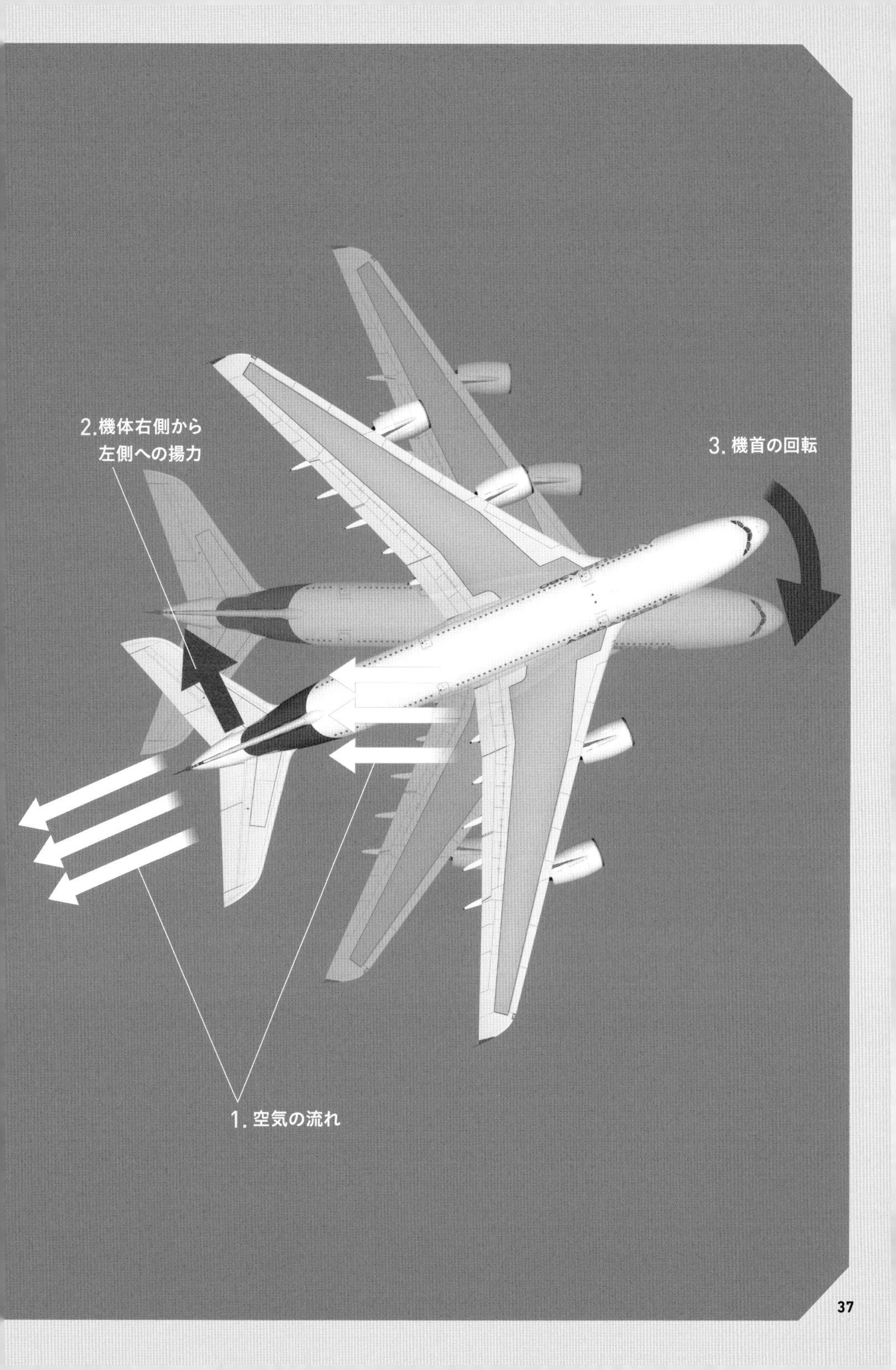
2.機体右側から
左側への揚力
3. 機首の回転
1. 空気の流れ

いざテイクオフ！　空を飛ぶひみつ

機首を左右に向ける方法

垂直尾翼の「ラダー」を左右に動かす

はたらき者の小さな翼

飛行機が向きを変える際には，水平尾翼の「エレベーター」，垂直尾翼の「ラダー」，主翼の「エルロン」が使われます。この三つを合わせて，「動翼」とよびます。飛行機本体の大きさとくらべて非常に小さな動翼で向きを変えられる秘訣は，動翼の重心からの距離にあります。機体の重心は，胴体中央付近にあります。それぞれの動翼は重心位置から遠くはなれているため，動翼で発生する力が小さくても，てこの原理で機体全体を動かす大きな回転力を発生できるのです。

ラダー
機体の左右方向の回転（ヨーイング）を制御します。ラダーを動かすと，垂直尾翼に対する気流の角度が変わり，機首の向きを左右に変えられます。

垂直尾翼と水平尾翼のはたらきは，機首のゆれを安定化させるだけではありません。パイロットの操縦で飛行機が向きを変える際にも，重要な役割を果たします。

飛行機には，向きを変えるための「舵」が，三つついています。垂直尾翼の「ラダー」，水平尾翼の「エレベーター」，主翼の「エルロン」です。パイロットはこの三つの舵を操作することで，機体の「左右方向の回転（ヨーイング）」「上下方向の回転（ピッチング）」「横方向の回転（ローリング）」を制御して，向きを変えるのです。

機首を左右に向けるときは，垂直尾翼についているラダーを操作して，機体の左右方向の回転を制御します。たとえばラダーを機体右側に向けると，垂直尾翼にはたらく右側から左側に向けての揚力が大きくなり，結果的に機首は右を向くのです。この動きと，エルロン（42ページ）による機体の傾きの変化によって，飛行機は旋回を行います。

ラダーのはたらき

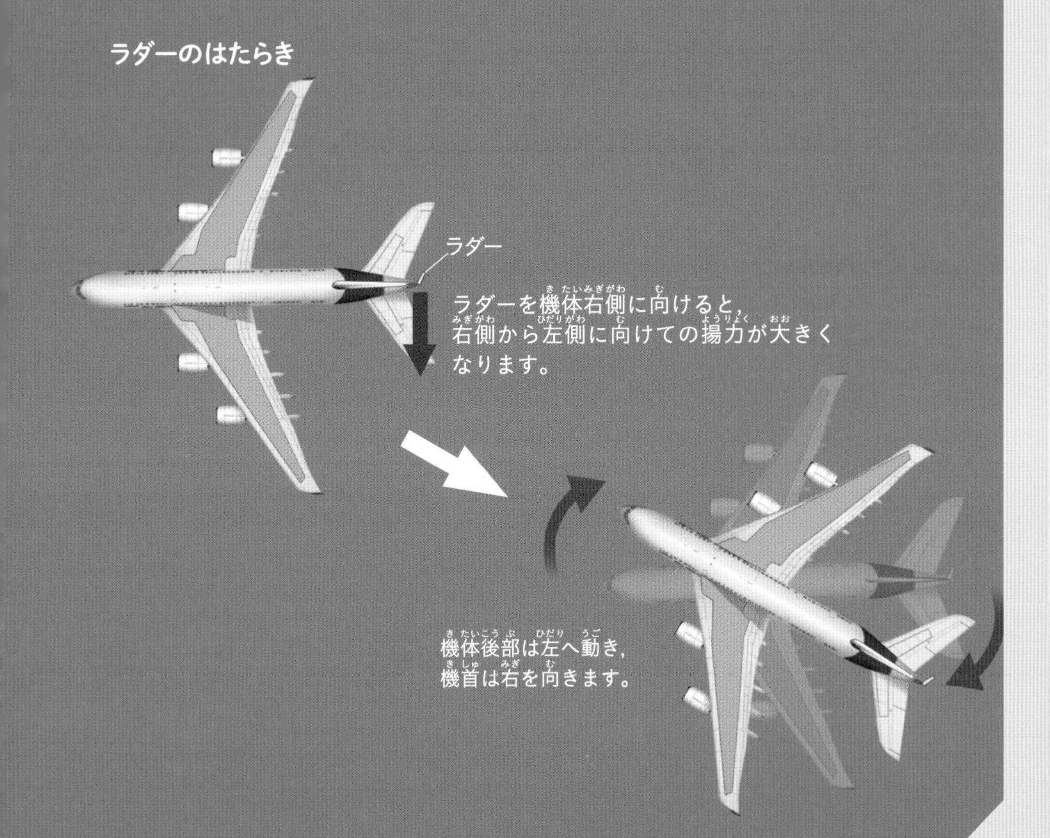

いざテイクオフ！　空を飛ぶひみつ

機首を上下に向ける方法

水平尾翼の「エレベーター」を上下に動かす

はたらき者の小さな翼

機首を上下に向けるときは，水平尾翼についているエレベーターを操作して，機体の上下方向の回転を制御します。

たとえばエレベーターを機体上側に向けると，水平尾翼にはたらく上側から下側に向けての揚力が大きくなり，結果的に機首は上を向きます。反対にエレベーターを機体下側に向けると，水平尾翼にはたらく下側から上側に向けての揚力が大きくなり，結果的に機首は下を向くのです。

エレベーターは安定飛行のほかにも，とくに離陸や着陸の際に操作されます。

エレベーターのはたらき

機体を左右に傾ける方法

主翼の「エルロン」を上下に動かす

はたらき者の小さな翼

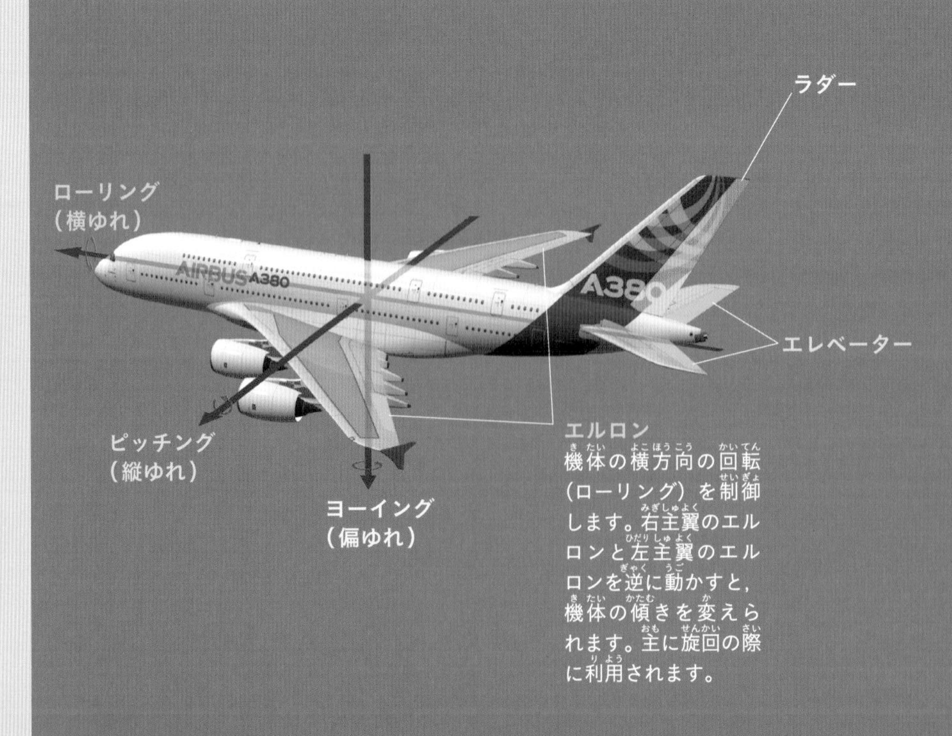

機体の横方向の回転(ローリング)を制御します。右主翼のエルロンと左主翼のエルロンを逆に動かすと，機体の傾きを変えられます。主に旋回の際に利用されます。

機体を左右に傾けるときは，主翼についているエルロンを操作して，機体の横方向の回転を制御します。

エルロンを操作すると，左右の主翼のエルロンは，反対向きに動きます。たとえば左主翼のエルロンを機体下側に向けると，右主翼のエルロンは機体上側を向きます。すると，左主翼にはたらく下側から上側に向けての揚力が大きくなり，右主翼にはたらく下側から上側に向けての揚力は小さくなります。その結果，機体左側が浮かび上がり，機体右側が沈みこみ，機体は右に傾くのです。この動きと，ラダー（38ページ）による機首の向きの左右方向への変更で，飛行機は旋回を行います。

なお現在，離着陸以外の飛行（巡航）は，ほぼ「オートパイロット」で行われます。オートパイロットとは，コンピューターが機体の姿勢や速度といった飛行状態を把握して制御し，あらかじめプログラムされた巡航ルートを自動的に飛行するシステムです。

エルロンのはたらき

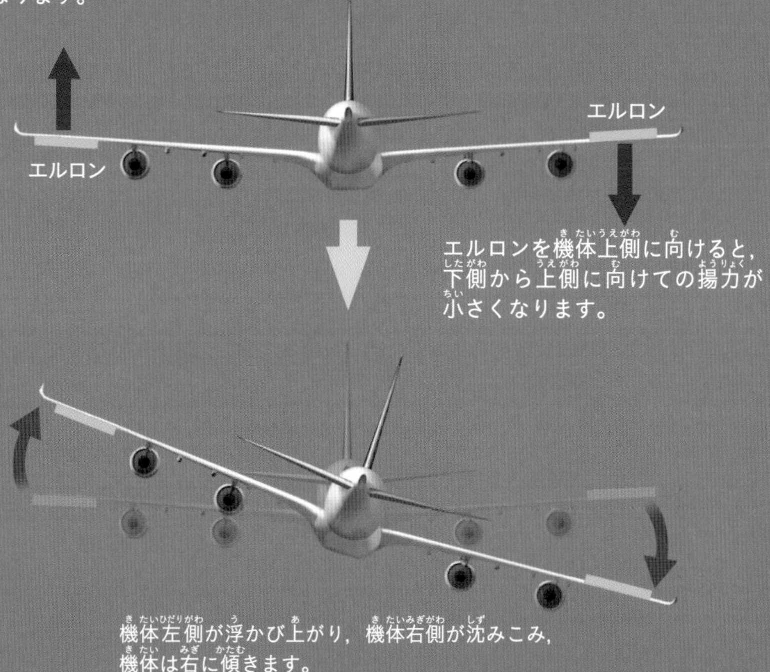

いざテイクオフ！　空を飛ぶひみつ

電波を使って飛行機の着陸を誘導

空港付近から三つの電波が発せられている

完全な自動着陸も行える

旅客機の着陸を補佐する「計器着陸装置（ILS）」のしくみをえがきました。滑走路には，滑走路の中心をあらわす「中心線」や，適切な進入角をパイロットに知らせる灯火である「進入灯」などが設置されています。これらに加えてILSを利用することで，旅客機は濃霧や豪雨などで視界が悪くても，正確に滑走路を目指すことができます。

ローカライザから発せられた電波

ローカライザは，着陸を行うパイロットに対して，着陸経路の左右方向のずれを知らせることにより，左右方向の誘導を行います。ローカライザは，着陸する滑走路の奥にあります。

飛行機が着陸するときには，「計器着陸装置（ILS）」が示す，着陸経路の上を飛行します。ILSとは，着陸態勢に入った飛行機に向けて空港付近から電波を発することで，飛行機を着陸経路に誘導する装置です。

ILSは，着陸経路からの左右方向のずれを知らせる「ローカライザ」と，上下方向のずれを知らせる「グライドパス」，滑走路までの距離を知らせる「マーカービーコン」で構成されます。**飛行機はこれらの電波を受け取り，いわば“電波の滑り台に乗る”ことで，安全に着陸することができるのです。**

基本的に着陸操作は，ILSの情報を用いながらパイロット自身が行います。しかし条件が整えば，完全な自動着陸も可能です。A380の全幅は79.75メートルもあります。一方で滑走路の幅は，30メートルか45メートル，60メートルしかありません。飛行機がどれほど正確に滑走路に着陸しているかが，わかるでしょう。

グライドパスから発せられた電波

グライドパスは，着陸を行うパイロットに対して，着陸経路の上下方向のずれを知らせることにより，上下方向の誘導を行います。グライドパスは，着陸する滑走路のわきにあります。

マーカービーコンから発せられた電波

マーカービーコンは，着陸を行うパイロットに対して，滑走路までの距離を知らせます。マーカービーコンは，滑走路の端から約300m，1km，7kmの地点に設置されます。

着陸態勢に入った飛行機

滑走路の端から7km地点にあるマーカービーコン

滑走路と自動車用の道路のちがい

何層もの基礎構造が地下につくられている

飛行機が着陸する滑走路は，一般的な自動車用の道路とはことなり，特別な構造をしています。

A380の場合，最大着陸重量は386トンにもなります。まず滑走路は，このような重量の飛行機が，一般的な着陸速度である時速約250キロメートルで着陸しても，へこんだり傷ついたりしないようにしなければなりません。**このため滑走路は，地下につくられた何層もの基礎構造を，厚さ2～3メートルにもなるアスファルトで舗装してつくられます。**関西国際空港のような海を埋め立ててつくった滑走路では，地盤をかたくするために，地下数十メートルにわたって地盤の改良工事が行われたという例もあります。

さらに滑走路には，飛行機のブレーキがききやすいように溝がほられていたり，雨水がたまらないようにかまぼこ型をしていたりといったくふうがほどこされています。

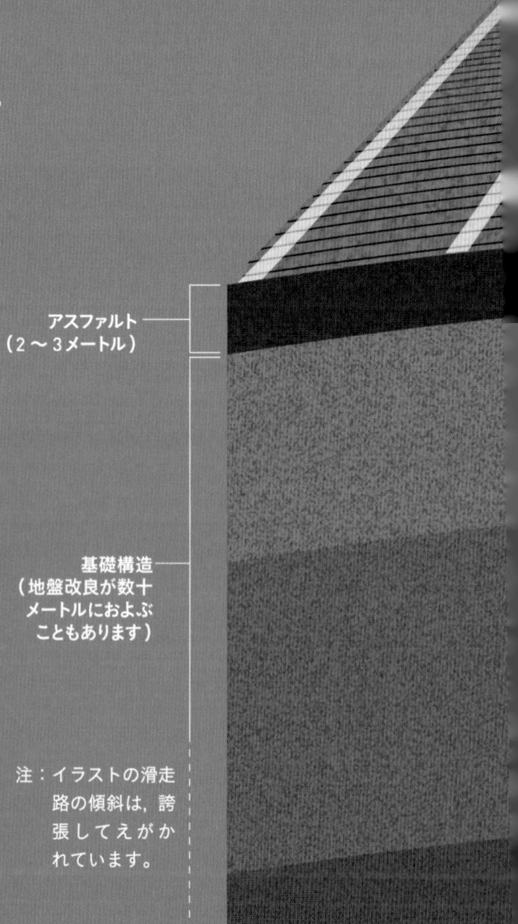

アスファルト（2～3メートル）

基礎構造（地盤改良が数十メートルにおよぶこともあります）

注：イラストの滑走路の傾斜は，誇張してえがかれています。

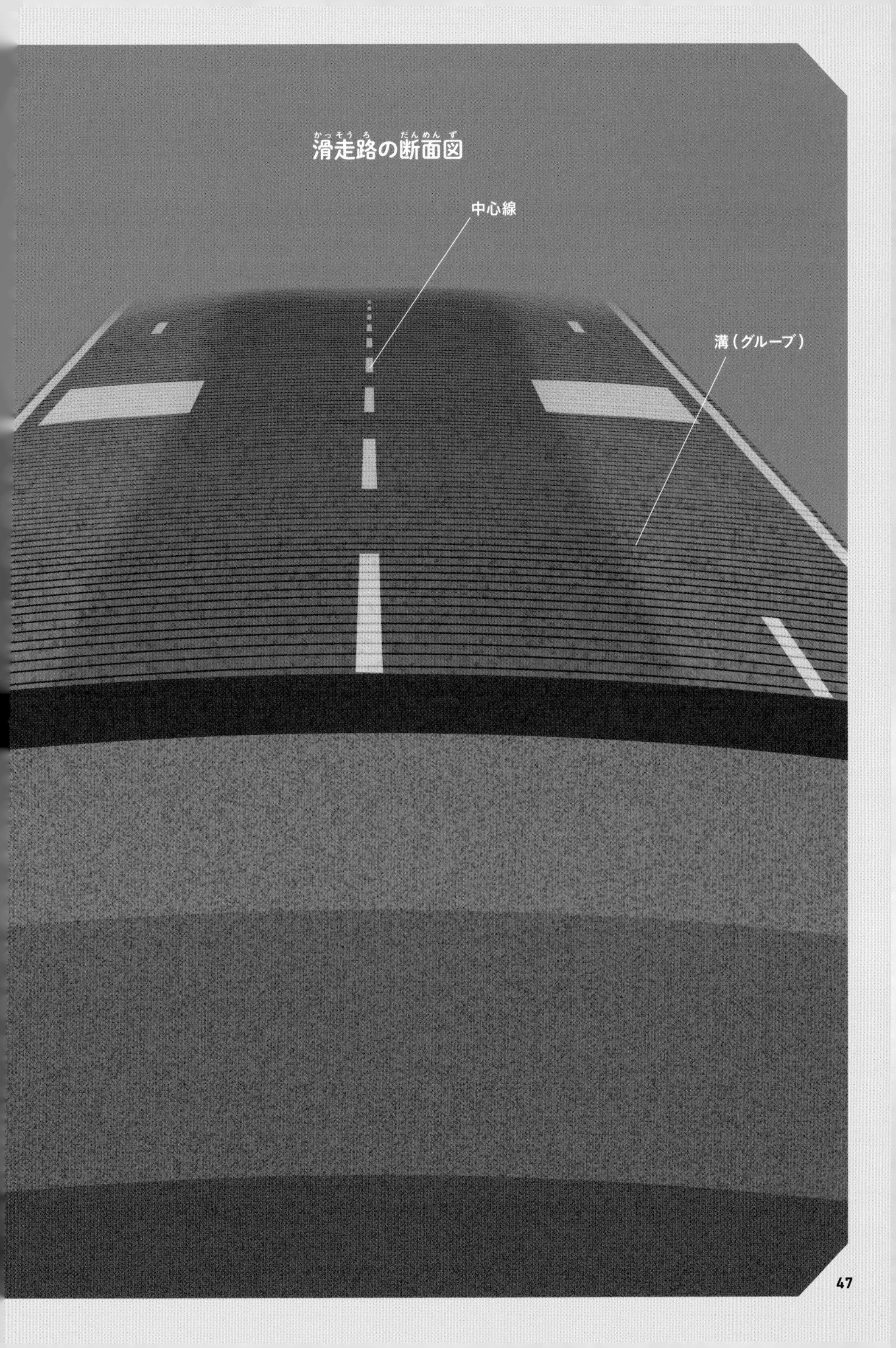
滑走路の断面図
中心線
溝（グルーブ）

飛行機の運行を助ける「航空灯火」

滑走路や駐機場だけでなく，ビルや鉄塔にもついている

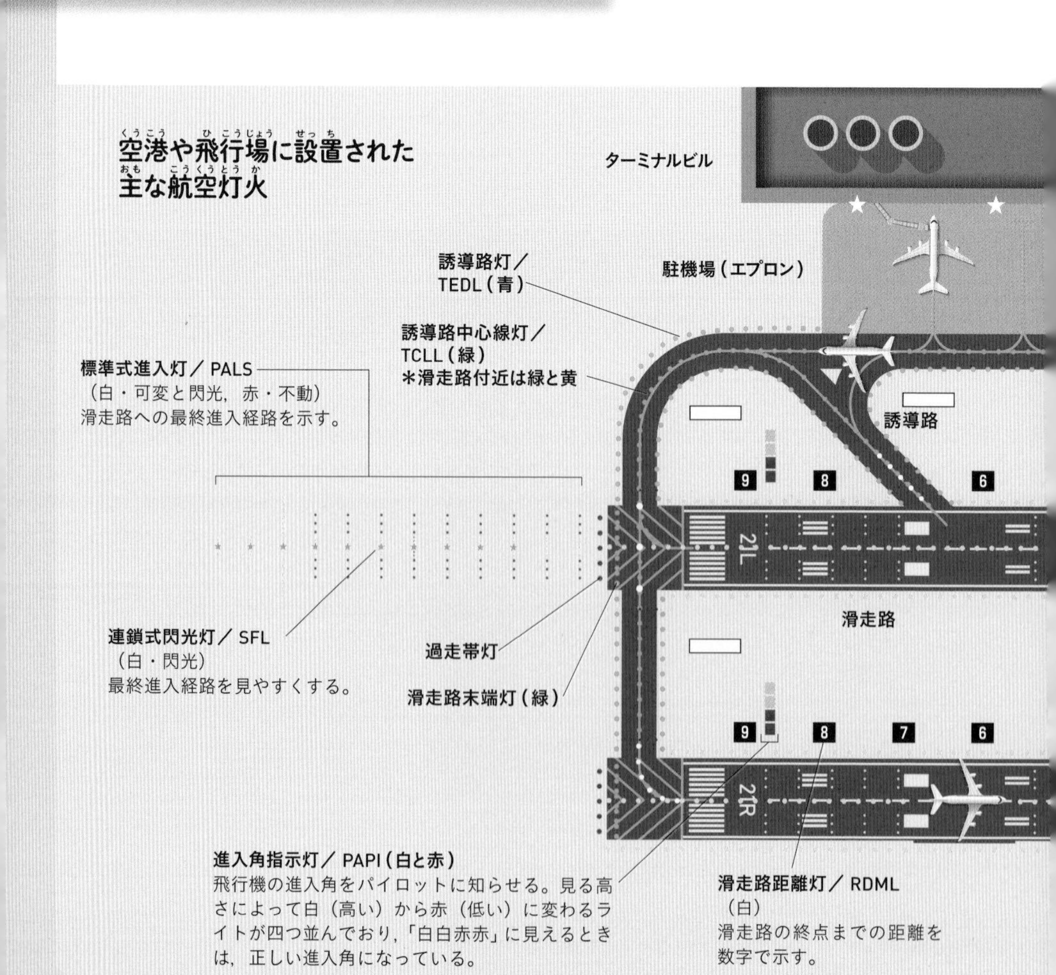

飛行機の運航をライトで援助する設備を，「航空灯火」とよびます。**夜間，空港や飛行場に行くと，滑走路や誘導路，駐機場（エプロン）などを，イルミネーションのように照らしているのが「飛行場灯火」です。**飛行場灯火は，離着陸する飛行機に対して，滑走路の形状や進入角度などを知らせるためのものです。灯火にはさまざまな色があり，たとえば滑走路の中心や両端は主に「白」，滑走路につながる誘導路の中心は「緑」，両端は「青」となっています。また，滑走路の末端や飛行機が停止すべき位置などでは，警戒色の「赤」が使われています。

また，航空法により，地表または水面から60メートル以上の高さがある物件には，「航空障害灯」の設置が義務づけられています。ビルや鉄塔，煙突など物件の高さや幅ごとに使用する灯火の種類・位置・数などが決められています。

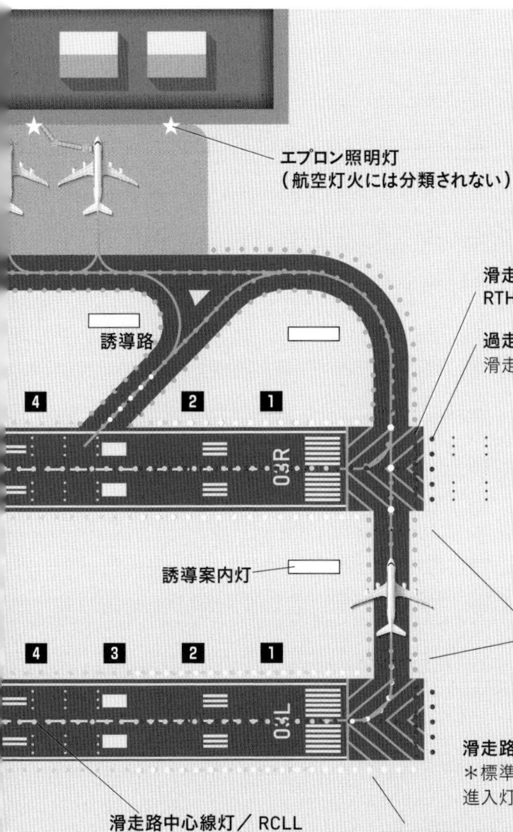

航空障害灯

着陸する飛行機の止まり方

三つのブレーキが飛行機を安全に止める

降下をつづけたA380は，ついに着陸の瞬間をむかえます。

安全に停止するために，飛行機は着陸の際に三つのブレーキをはたらかせます。**一つ目は，主翼の上にある「スポイラー」によるブレーキです。**スポイラーは，飛行機のタイヤが接地すると同時にいっせいに立ち上がり，空気抵抗を増して速度を落とします。同時に主翼に発生する揚力を減らして，タイヤのブレーキのききをよくします。

二つ目は，降着装置（ランディングギア）に装備された「ディスクブレーキ」です。ディスクブレーキは，ホイールとディクスが押しつけ合うことで生じる摩擦力によって，タイヤの回転を止めます。

そして三つ目は，ターボファンエンジンの「逆噴射」によるブレーキです。ターボファンエンジンは，バイパス流をドアでブロックして，排気方向を斜め前方へと変えることで，飛行機の速度を落とすのです。

ラジアルタイヤ

タイヤは，溝のついたゴムでできた「トレッド」と，強度を増すための「ベルト」，そしてポリエステルやレーヨンなどの繊維でできた骨格部分の「カーカス」からなります。A380では，ベルト部分に「アラミド繊維」とよばれる合成繊維が使用されており，摩擦によってタイヤがすり減る量を減少させつつ，軽量化しています。

揚力を減少させるスポイラー

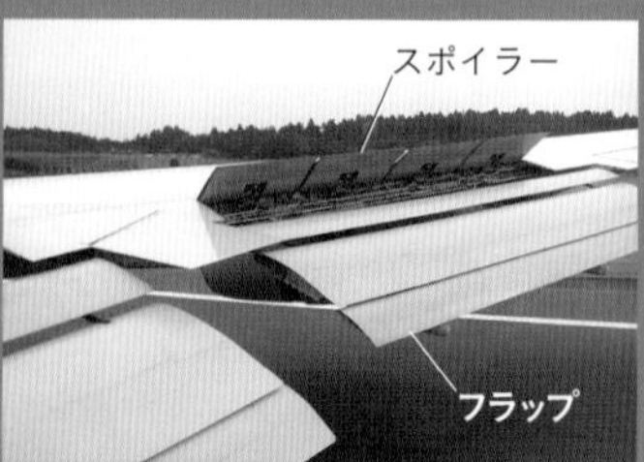

写真は，ボーイング747の着陸時に立ち上がったスポイラーです。

降着装置（ランディングギア）

左は，「ボディギア」とよばれる，胴体についている降着装置です。降着装置には，着陸の衝撃を弱める「オレオ式緩衝装置」や，タイヤの回転を止めるための「多板式ディスクブレーキ」が装備されています。

オレオ式緩衝装置のしくみ

緩衝装置は，シリンダーとピストンからなります。シリンダー内には，油と圧縮ガスが封入されています。着陸の際，シリンダー内のせまいすき間を油が通るときに摩擦が発生することによって，衝撃を吸収します。

多板式ディスクブレーキ

多板式ディスクブレーキは，ホイールに固定され，車輪とともに回転する数枚の「ローターディスク」と，脚構造に固定されていて回転しない「ステーターディスク」とが交互に並んだ構造をしています（ディスクは見えていません）。ブレーキの際は，この2種類のディスクを油圧で密着させ，その摩擦によってタイヤの回転を止めています。

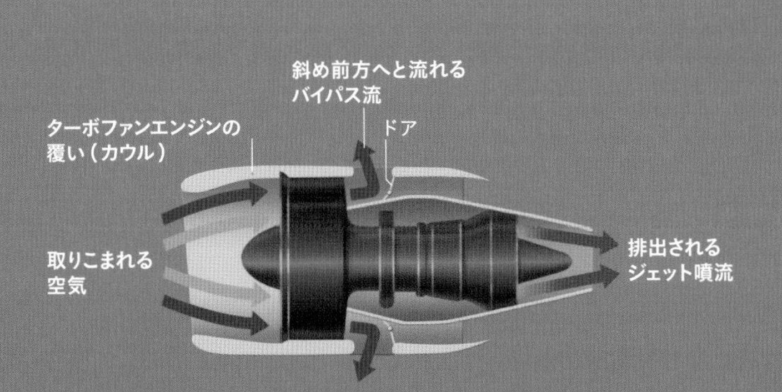

逆噴射のしくみ

逆噴射の際は，ターボファンエンジンのカウルを開き，バイパス流（60ページ）の流れをドアで防ぎます。こうすることでバイパス流の向きを斜め前方に変え，ブレーキをかけます。

空の交通整理は管制塔におまかせ

空港からの距離によって，担当する管制がちがう

すべての飛行機は，駐機場（スポット）を出たときから，離陸・巡航・着陸，そして目的地の駐機場に到着するまで，航空管制官の指示にしたがって飛行します。

空港から半径約9キロメートル，高度約900メートルの管制圏では「飛行場管制」が，管制圏を出て半径約100キロメートル※1の進入管制区では「ターミナルレーダー管制」が飛行機のコントロールを行います。

飛行場管制を行うのが，空港の敷地内にある「管制塔」です。管制塔の最上階にある360度ガラスばりの管制室（VFRルーム）では，それぞれの業務（「席」とよばれる）を担当する航空管制官が目視で確認しながら，飛行機に対して離着陸の許可を出したり，タキシング（飛行機が自力で地上を滑走すること）時の誘導路を指定したりしています。

また，管制塔に付随するレーダー室（IFRルーム）では，ターミナルレーダー管制を担当する航空管制官が，レーダーからの情報をもとに，航空路（飛行機が飛行すべき“道”）や最終進入コース（着陸）までの誘導などを行います。

飛行機が進入管制区の外に出ると，今度は「航空路管制」によるコントロールが行われます。これを担当するのは，「航空交通管制部（ACC）」および「航空交通管理センター（ATMC）」に属する航空管制官です。

飛行機がレーダーの届かない洋上を飛行する場合は，パイロットから伝えられる情報をもとに管制業務を行います。

※1：管制圏と進入管制区の範囲は，空港によってことなる。なお，非管制空域は除く。

管制官のいない空港がある?

航空管制官による管制機能をもつ空港を「タワー空港」とよびます。これに対し，航空管制官のいない空港を「リモート空港」とよびます。リモート空港の場合，全国に8か所ある飛行援助センター（FSC）に配置された航空管制運航情報官が，飛行機に対して無線で情報提供を行います（コントロールは行いません）。一方で，管制塔に航空管制官がおらず，航空管制運航情報官のみが配置される空港もあります（レディオ空港）。リモート空港とレディオ空港は，「ノンタワー空港」とよばれることもあります。

管制塔

飛行機の主な空域と担当する管制

※2：ノンタワー空港の場合は「航空交通情報圏」。

Column

コーヒーブレーク

90分で次のフライトの準備が完了する!

無事にフライトを終えた飛行機ですが，休んでいるひまはありません。すぐに次のフライトの準備がはじまるのです。

一般的には，国際線の場合は約2時間の間隔で，国内線の場合は45〜60分の間隔で，次のフライトに旅立ちます。この短い時間内に，機内清掃や燃料補給，機内食の搭載だけでなく，機体の点検も行わなければなりません。この点検を「ライン整備」といいます。**ライン整備では，航空整備士に加えて機長自ら，目視で外観に異常がないか，タイヤがすり減っていないかなどをチェックします。**そして異常があった場合は，離陸時間までに修理を行う必要があります。

最近の飛行機は，少しでも効率よく整備を行うため，上空を飛行中に機体の状態を地上に送信する機能をそなえています。航空整備士たちはそのデータをもとに，事前に交換部品を用意するなどして，ライン整備に迅速に取りかかれるよう準備をととのえるのです。

ボーディングブリッジ
ターミナルビルから旅客機に乗客や乗員を乗せるための設備です。

エア・スタート・ユニット
エンジンスタートのための圧縮空気を供給するための車両です。

着陸から離陸までたったの90分

A380が，次のフライトに向けて行う準備のようすをえがきました。A380は従来のどんな旅客機よりも大型で，乗客数が多いにもかかわらず，次のフライトまでの時間を「90分」におさめることを可能にしました。

トーイングカー
飛行機は自分でバックできないため，トーイングカーが，出発のときなどに機体を押したり牽引したりします。
トラッシュカー
直前のフライトで出たごみを回収・運搬するための車両です。
地上動力装置
機体後部にある補助動力装置のかわりに，地上から電気を供給する装置です。
給油車
燃料を補給する車両です。燃料に圧力をかけて行う圧力式補給によって，わずか15〜30分で給油可能です。
タグ車
ハイリフトローダーやベルトローダーでおろしたコンテナを，ターミナルまで運ぶトラクターです。
コンテナ
フードローダー
機内食や機内で使うものを積みこむためのトラックです。
ハイリフトローダー
コンテナを運びこむための車両です。
給水車
ベルトローダー
貨物を運びこむために利用するベルトコンベアが搭載された車両です。
汚水車
トイレの排水など，客室内の汚水を運びだします。

3

飛行機の中に隠れたおどろきのひみつ

この章では，最新式飛行機の心臓部であるエンジンや，それを効率よく動かすしくみについて解説します。また，安全に飛行するための装置や，乗務員用スペース，機内の乗客が飛行中に快適に過ごせるくふうなど，興味深い話題も取り上げています。

A380の“心臓”！ターボファンエンジン

その最大推力は，34.5トン重！

巨大なA380を飛翔させる原動力は，両翼に取りつけられた4基の強力な「ターボファンエンジン」が生みだします。**ターボファンエンジンは，大量の空気を吸いこみ，内部で加速させて，後方に噴出することで推力を得ます。**

A380には，「トレント900」か「GP7000」のどちらかのターボファンエンジンが搭載されています。正面から見て，トレント900は時計まわりに，GP7000は反時計まわりに回転します。

右のイラストは，トレント900をえがいたものです。全長4.55メートルのトレント900は，直径2.96メートルという巨大な空気の取り入れ口をもちます。最大推力は，34.5トン重に達します。

60～61ページでは，ターボファンエンジンのしくみをくわしく説明します。

ターボファンエンジン
「トレント900」

バイパス

ファンで吸入・圧縮された空気の90％弱はここを流れ，排気されます。

中圧圧縮機

8段の動翼列で構成されます。ファンで圧縮された空気をさらに圧縮します。チタニウム合金製です。

高圧圧縮機

中圧圧縮機で圧縮された空気をさらに圧縮し，高温・高圧空気を燃焼室へと送ります。6段構成です。チタニウムと耐熱合金でつくられています。

高圧タービン

1段で構成されており，軸でつながっている前方の高圧圧縮機を駆動します。燃焼室からの2000℃をこえる燃焼ガスを受けて回転します。

中圧タービン

1段の動翼列から構成され，軸でつながっている前方の中圧圧縮機を駆動します。高圧タービンを経由した燃焼室からの燃焼ガスを受けて回転します。

低圧タービン

5段の動翼列から構成され，軸でつながっている前方のファンを駆動します。中圧タービンを経由した燃焼室からの燃焼ガスを受けて回転します。

燃料噴射ノズル

燃料噴射ノズル

燃焼室

圧縮機で加圧された高圧空気に燃料を連続的に噴射して，高圧空気と霧化された燃料との混合空気をつくります。これを電気火花で発火させて，連続燃焼させます。

アクセサリーギアボックス

エンジンの回転力を利用する装置の一群。燃料ポンプや油圧ポンプなどが入っています。

ターボファンエンジンのしくみ

「バイパス流」が大きな推進力を生む！

ターボファンエンジンはまず，巨大なファンによって大量の空気を吸入します（1）。吸入された空気は二手に分けられ，中心部の空気は圧縮機で圧縮されて，燃焼室に送られます（2）。燃焼室では，圧縮空気と燃料が混合されて，燃やされます（3）。燃焼の結果生じた高温・高圧のガスは，前方の圧縮機やファンを駆動するためのタービンをまわし，ジェット噴流として排気されます（4）。

二手に分かれたもう一方の空気は，エンジンの中心部分を取り囲むように流れます。この流れを「バイパス流」とよびます。**バイパス流の多い（バイパス比の高い）ターボファンエンジンでは，この空気の流れが大きな推進力を生んでいます。**

バイパス流は，流れの速度が飛行機の速度に近いため，加速する能力は高くありません。そのかわり，バイパス流のもつ運動エネルギーが飛行機の推進力に変換される際に，ロスは小さくてすみます。つまり，燃費がよくなります。さらにバイパス流には，ジェット噴流をすっぽり覆うことで，騒音をさえぎる効果もあります。

1. ファン

ファンによって，空気を取りこみます。その一部は圧縮機へ入り，残りの大部分は周囲のバイパスを通り抜けます。

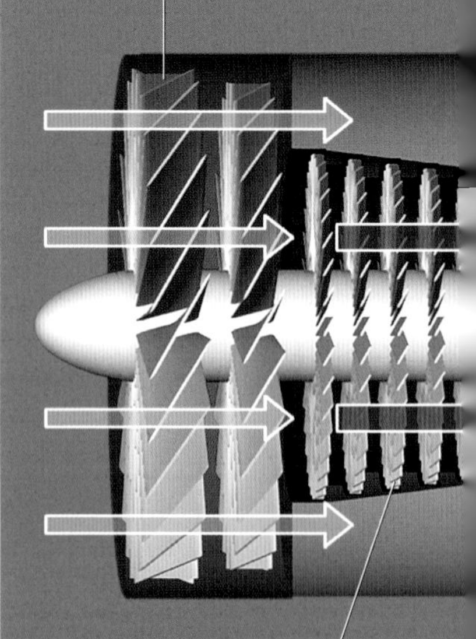

飛行機に使われる「ターボファンエンジン」の構造

2. 圧縮機

圧縮機は何段階にも分かれていて，通り抜けるたびに圧力が高まります。

3. 燃焼室

高圧空気に燃料を噴射して燃焼させ，高温・高圧のガスをつくります。

4. タービン

高温・高圧ガスの噴出によって，タービンをまわします。このタービンの回転によって，前方のファンや圧縮機が動きます。通り抜けたガスが，ジェット噴流として排出されます。

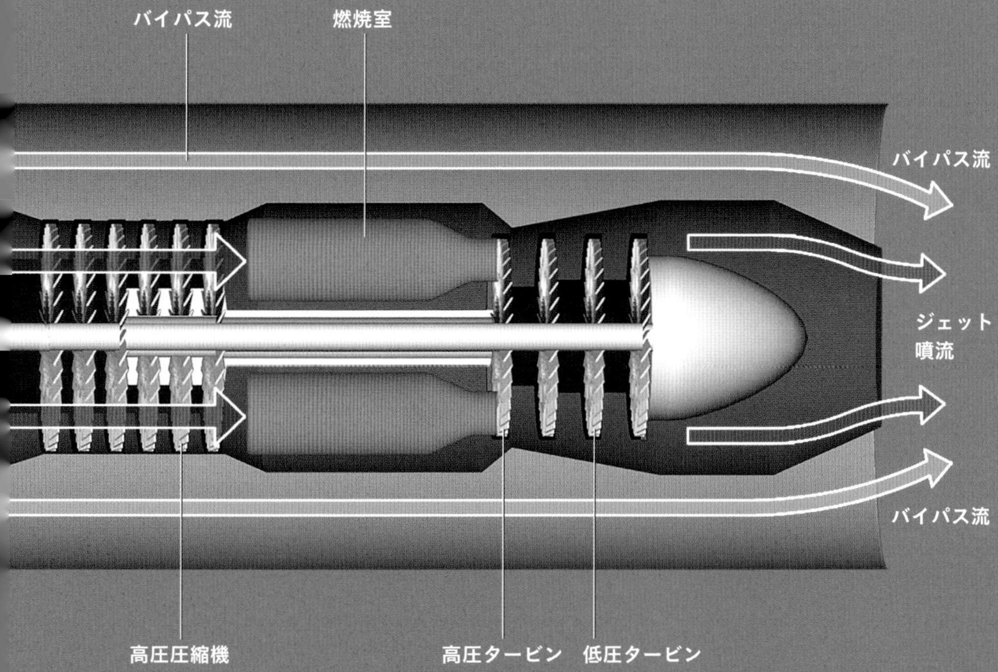

バイパス流
燃焼室
バイパス流
ジェット
噴流
バイパス流
高圧圧縮機
高圧タービン
低圧タービン

ハンドルがない？ A380のコックピット

操縦輪を廃止してサイドスティックを採用

飛行には，高度，速度，機体の姿勢，飛行航路の気象情報など，さまざまな情報が必要です。**これらの情報は現在，液晶ディスプレイに集約されて表示されるようになっています。これを，「グラスコックピット」といいます。**このシステムのおかげで操縦士の負担は非常に軽減されました。

飛行機の操縦というと，Y字型の「操縦輪」を思い浮かべるかもしれません。**しかしA380では，操縦輪を廃止してサイドスティックを採用しています。**計器盤とパイロットの間をさえぎるものがなくなり，座席の前面部分に引きだし式のテーブルやキーボードを取りつけることが可能となりました。これにより，腕を上げる必要がなくなり，長時間のフライトでも疲労が蓄積しなくなりました。

またA380には，標準装備ではないものの，「ヘッドアップディスプレイ」の搭載も可能となっています。ヘッドアップディスプレイとは，操縦士の目線上に透明なスクリーンを置き，そこに情報を投影する装置です。

操縦輪からサイドスティックへ

画像は，A380のコックピットです。エアバス社は従来の操縦輪を廃止し，サイドスティックを採用しました。二つの座席の後ろにはもう二つ座席があり，長距離フライトなどでは交代要員を乗せることができます。

機長席

❶サイドスティック
エレベーターやエルロンを操作し，機首を上下に向けたり機体を左右に傾けたりします。

❷ラダーペダル
ラダーを調節するペダルで，左のペダルを踏むと，機首は左を向きます。

❸システム・ディスプレイ
油圧や電気，空調，扉の開閉などの情報を表示します。

❹スロットルレバー
エンジンの出力を調節するレバーです。

❺エンジンマスタースイッチ
エンジンをスタートさせます。

❻スピードブレーキレバー
スポイラー(くわしくは50ページ）の制御を行います。

❼フラップレバー
フラップの角度を調節します。

❽マルチファンクション・ディスプレイ
無線機の情報や速度情報，空港関連の情報など，さまざまな情報を選択して表示します。

❾エンジン・ウォーニング・ディスプレイ
エンジン関連の情報や警報を表示します。

❿ナビゲーション・ディスプレイ
運航路線，風向，風速などに関する情報を表示します。

⓫プライマリ・フライト・ディスプレイ
飛行機の姿勢，速度，高度などに関する情報を表示します。

⓬折りたたみ式キーボード
さまざまなシステム操作を行います。

⓭オンボード・インフォメーション・ターミナル
航空路線図や整備関連の情報を表示します。

⓮オーバーヘッドパネル
エンジン始動スイッチやさまざまな操作パネルが並びます。

副操縦士席

A380の胴体の強度を上げる技術

卵の殻のような形の外板が荷重を受け止める

A380の胴体は，卵形をした「フレーム」と，前後方向に走る「ストリンガー」とよばれる補強材を組み合わせた，「セミモノコック構造」を採用しています。「モノコック」とは，フランス語の「卵の殻」を語源とする言葉です。

セミモノコック構造では，フレームだけでなく，卵の殻のような外板が，機体にかかる荷重を受け止めます。内部空間を広く利用しながらも，機体にかかる力に耐える強度をかねそなえるという特徴をもっています。

現在の飛行機の胴体は，強度のあるアルミニウム合金に，「複合材料」とよばれる新しい素材を組み合わせてつくられています。A380では，たとえば客室2階の床に，複合材料の「炭素繊維強化プラスチック（CFRP）」を使用しています。CFRPは炭素繊維をエポキシ樹脂で固めたもので，軽さと強度をあわせもつという特徴があります。**A380は，このCFRPをはじめとするさまざまな複合材料を，機体全体の約25％の部分で使用することで，従来設計よりもおよそ15トンもの重量軽減に成功しました。**

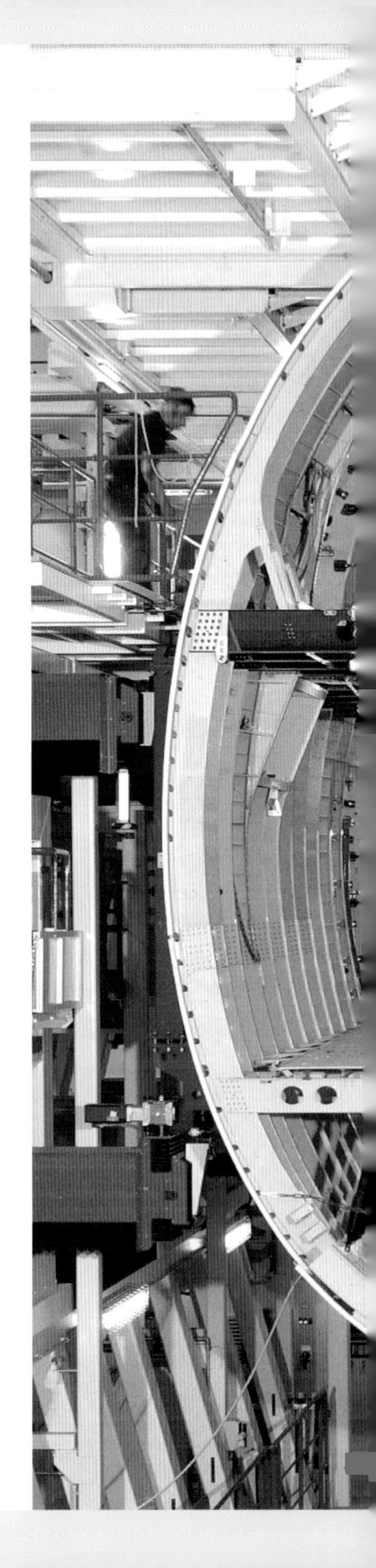

A380の胴体は3層構造

A380の胴体は，史上初の総2階建ての客席と最下層の貨物室の，3層構造になっています。前方から後方に向かっては，何重にもつらなる卵形をしたフレームが見えます。機体全体の25％が，複合材料でつくられています。

快適に過ごせるくふうがあふれる客室

機内の空気は新鮮な状態に保たれている

旅客機の客室（キャビン）には，**私たちが移動時間を快適に過ごすための，さまざまなくふうがほどこされています。**

まず，頭上には手荷物を収納することができる収納棚（オーバーヘッド・ビン）があります。たとえばA350の収納棚は，縦40×横25×高さ55センチメートル程度のキャリーケースを縦に5個並べて入れることができるほどの大きさです。また，収納棚の上面に小型の鏡がはられている機種もあり，シート下部側面についた足かけとともに，荷物の積み降ろしを手助けしてくれます。

機内の空気は，エンジンを介して取り入れられます。外気は，高性能の「HEPAフィルタ（High-Efficiency Particulate Air filter）」を通って空調システム（エアコン）に入り，天井に配されたダクトを伝って客室内へと届けられます。客室内の空気は循環したのちに壁の下部へと流れ，アウトフローバルブから機外へと排出されます。これにより，機内の空気は2～3分ほどですべて入れ替わります。

なお，機内で使用される電気は，主にエンジンに組みこまれた発電機によってまかなわれています。

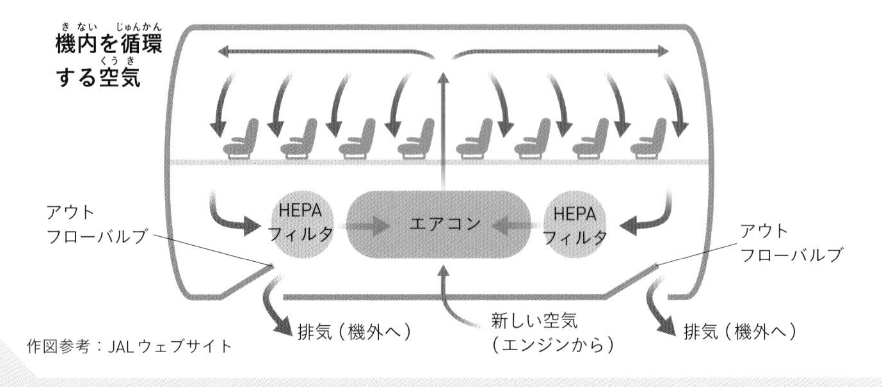

作図参考：JALウェブサイト

オーバーヘッド・ビンと内部に設置された鏡

窓とシェード

旅客機の窓には上下にスライドさせる手動式のシェード（日よけ）がついていますが，旅客機B787には，ボタンで明るさを制御することができる電子式シェードが採用されています。

客室乗務員しか入れない場所には何がある？

食事の準備をする「ギャレー」，乗務員用の仮眠室「クルークレスト」

❶**エアチラー**
冷却された空気を送り，カートを冷やすことができる装置。

❷軽食や備品が収納されている収納スペース。

❸**コーヒーメーカー**

❹**カート（内部）**
料理を入れた「ミールカート」や飲み物を入れた「リカーカート」などが，扉の中に収納されています。

❺飲料水を得たり，使用後の水を捨てたりする小さな“シンク”。

❻**スチームオーブン**
高温の水蒸気を利用して料理を加熱することができるオーブン。

旅客機のギャレー（例）

※：JALやANAの一部路線では，上級クラス向けの食事用に機内で米を炊いて提供しています。

機内で提供される飲み物や食事の準備を行うキッチンは，「ギャレー」とよばれます。**長距離を飛行する国際線のワイドボディ機では，客室の最前部や最後部，座席クラスの境目となる中間部など計3～4か所にギャレーが配置されています。**

キッチンといってもコンロやフライパンを使うことはせず，主に調理ずみの料理を温め（冷やし）たり，盛りつけたりします※。食事は地上の工場で調理され，専用の機材（カート）に積みこまれたあと，「フードローダー」というトラックで機内に搬入されます。食事を満載したカートは最大で150キログラムにもなります。

ところで，パイロットやキャビンアテンダントは，どこで体を休めているのでしょうか。**短時間であればギャレーや専用の座席などで休憩しますが，長時間飛行する国際線では「クルーレスト」や「クルーバンク」などとよばれる，乗務員しか立ち入ることのできない空間に設置されたベッドで仮眠をとります。**この空間は客室の天井裏や最後部，ロアーデッキなどに設けられているようです。

クルーレスト（B777）

飛行機のトイレは気圧差を利用している

地上のトイレと変わらぬ快適さを提供する飛行機のトイレ

旅客機に設置されているトイレ（化粧室）で生じる汚物を，ずいぶん昔は空中にそのまま放出していたといいます。冗談のような話ですが，機内で“処理”を行うトイレ（くみ取り式・循環式）が設置されはじめたのは1960年代に入ってからのことです。ちなみに汚物は上空で凍り，落下中に粉々になりますが，まれにかたまりのまま地上に到達し，建物を壊すなどの事故を引きおこすこともあったようです。

現在の旅客機のトイレは，「バキューム式」という方法で汚物を処理しています。洗浄ボタンを押すと，便器と汚物をためるタンク（ウェストタンク）をつなぐ配管に設置されたバルブが開きます。ウェストタンクには機外に通じる穴が設けられているため，便器とタンクの間に気圧差が生じます。空気は気圧の高いほうから低いほうに流れる性質があるため，汚物は少量の水とともに，タンクへと吸いこまれていくというわけです。**ウェストタンクの中身は空港に到着後，「ラバトリーカー」という車両によって回収されます。**

1機あたりのトイレの数は航空会社や機体ごとにことなりますが，たとえばANAのB787-8（240席・184席仕様）では7か所設置されています。同機では世界初となる温水洗浄便座や個室内の窓（一部のみ）も採用され，従来機よりも快適性が向上しています。

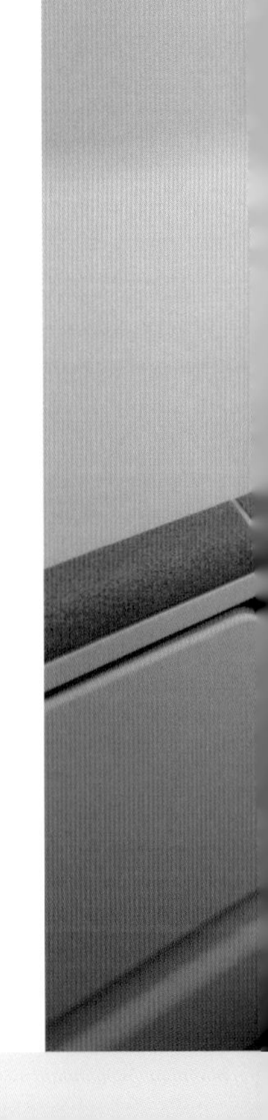

機内トイレのしくみ（バキューム式）

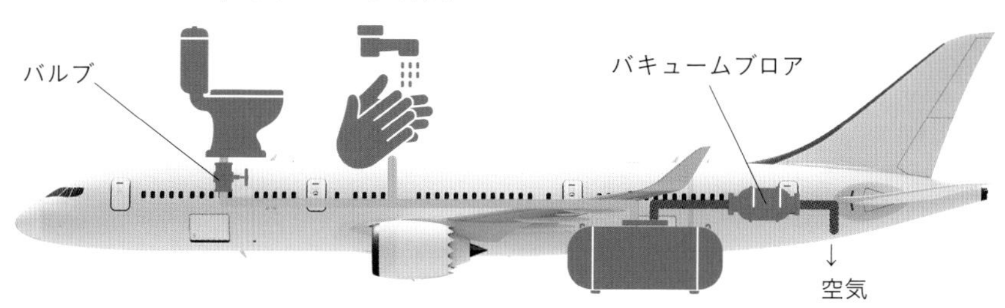

＊各パーツの位置や形状はイメージ。

写真提供：ジャムコ

貨物はどのように積みこまれるのか

客席の下に，前部・中央部・後部の3か所のカーゴルーム

大型旅客機には，**乗客が過ごす客室の下（ロアーデッキ）に，貨物や荷物などを運ぶための貨物室が設けられています。**貨物は基本的に「ULD（Unit Load Device）」とよばれる輸送機材にまとめられた状態で搭載されますが，ばら積みの荷物や乗客の手荷物，ペットなどは，機体最後部のロアーデッキにある「バルクカーゴルーム」に積みこまれます。

ULDには，金属製のコンテナと，コンテナに入らない貨物を載せるための板（パレット）があります。

旅客機が安全に飛ぶためには，重心位置や全体の重量が，定められた許容範囲におさまるようにしなければなりません。**そのため貨物は，「ロードコントローラー」とよばれるスタッフにより，フライトごとに事前に作成されたプラン（ロードシート）にしたがって積みこまれます。**乗客や貨物だけで重心位置を調整しきれない場合には，「バラスト」とよばれるおもりを搭載します。

貨物室の配置例
（B787-8）

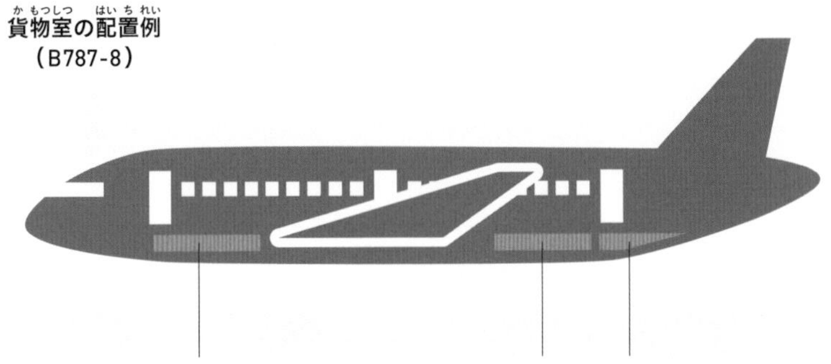

貨物輸送専用の大型機

このような飛行機では，メインデッキも貨物を積みこむスペースとして使用されます。

積みこまれる
2台のコンテナ

スマホの通話が認められない理由

飛行機の電子機器の信号が乱れてしまうことがある

飛行中の機内では，スマートフォンやタブレット端末は，「機内モード」や「オフラインモード」に設定するか，電源を切ることが求められます。なぜなのでしょうか。

飛行機の電子機器が使用する電波と，スマートフォンなどが使用する電波は，周波数帯がことなっています。しかしまれに，電波どうしがぶつかることで，飛行機の電子機器の信号が乱れてしまうことがあります。**この現象を，「電波干渉」とよびます。このためスマートフォンなどは，電波を発信しない状態にしておかなければならないのです。**

2014年9月1日から，機内でスマートフォンやタブレット端末などを常時使えるようになりました。また，日本航空（JAL）と全日空（ANA）では，無料のWi-Fiサービスがはじまりました。しかしこれは，通話が可能になったということではなく，機内に搭載された無線LANシステムに接続して，インターネットが使えるようになったということです。

Column

コーヒーブレーク

機内食はちょっと濃いめにつくられている？

飛行機に乗るときの楽しみの一つは，機内食ではないでしょうか。この機内食，地上の食事とは少しことなる点があります。**実は地上の食事よりも，味つけが濃いめにつくられているのです。**

それは，人間の味覚が，気圧の低下や騒音によって鈍くなるためにおこる味の変化を防ぐためのくふうです。気圧の低い上空では，胴体に大きな圧力差が生じるのを防ぐため，機内の圧力を0.8気圧まで下げています。また飛行中，客室内にはつねにエンジン音が響いています。このため機内では，甘味や塩味の感じられ方が，地上にくらべておよそ30％も低下するといわれています。さらに機内は乾燥しているため，嗅覚も鈍くなります。

機内食をつくる地上のシェフたちは，この現象を見こして，レシピを考えています。しかも，ただ単に調味料をふやして味つけを濃くするわけではなく，香りやうま味を調整して，はっきりした味つけにしているようです。機内食を食べるときに，シェフたちのくふうを探してみるのも，楽しいですね。

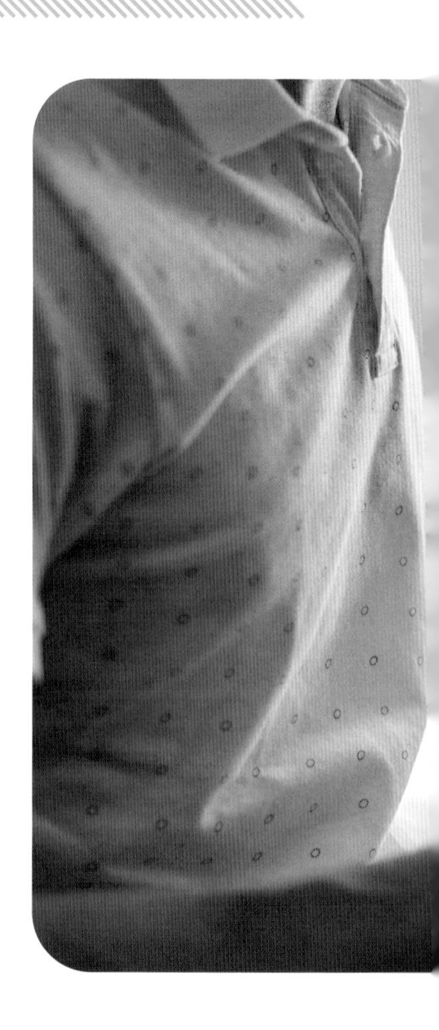

Column

コーヒーブレーク

パイロットになるにはどうしたらよい？

将来パイロットになって空を飛びたい！　と考えている人もいるのではないでしょうか。パイロットには，航空会社の「定期便のパイロット」，自衛隊や警察，消防，報道機関などの「事業用のパイロット」，「自家用のパイロット」などの種類があります。**そしてどのパイロットになるにも，国家試験に合格して，操縦士の免許を取得する必要があります。**

パイロットになるための学校には，「航空大学校」「パイロット養成コースをもつ大学」「パイロット養成学校」などがあります。一方，大手の航空会社や自衛隊には，パイロットを自分たちで養成するしくみがあります。

パイロットになるための学校で学ぶには，高額な授業料がかかります。海外で比較的安く免許を取得する方法もあるものの，免許を取得できたとしても，航空機がなければ実際に操縦することはできません。**国際線や国内線のパイロットになりたいと考えている場合は，まず大手の航空会社に就職するのが，近道かもしれません。**

4

まだまだある！
飛行機に関するひみつ

空を飛ぶ飛行機をなやますものといえば，悪天候だと思うかもしれません。しかし，飛行機の天敵は私たちにとっても身近なあの生き物なのです。この章では飛行機を安全に飛行させるしくみや，文字通り衝撃を受ける“音速”などにせまります。

AIRFRANCE

まだまだある！　飛行機に関するひみつ

揚力はどうやって生まれる？

空気の流れが気圧の差を生み，飛行機が浮き上がる

翼の上下に生まれる気圧の差が揚力を生む

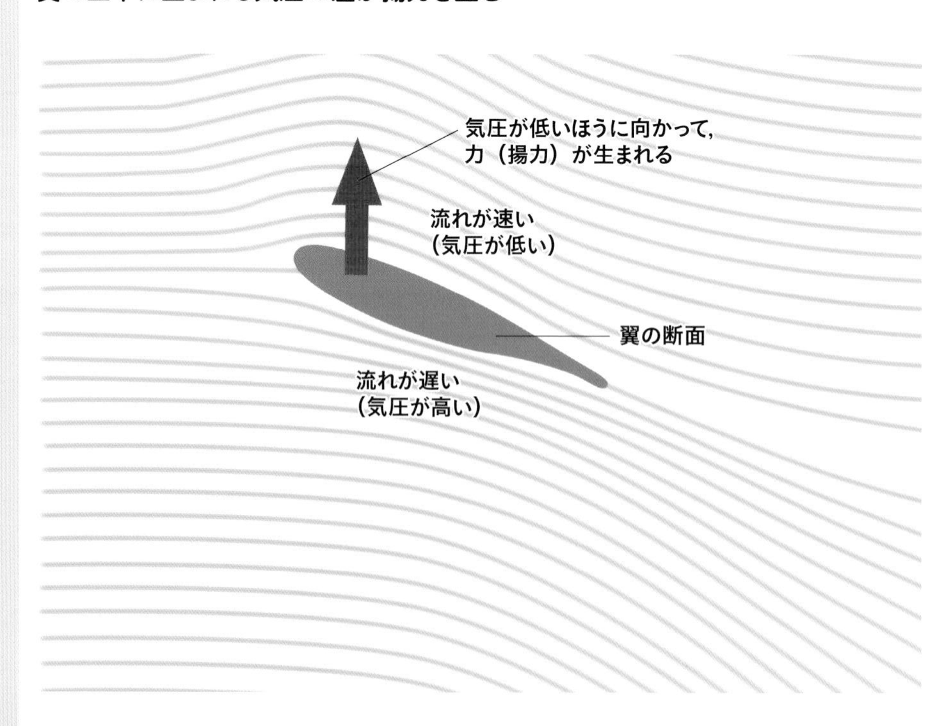

これまで，史上最大の旅客機A380などを具体例に，飛行機のしくみについてみてきました。ここでは，飛行機を飛翔させる力である「揚力」がなぜ生まれるのかを，あらためてくわしくみていきましょう。

飛行機の翼の断面は，前方が丸く，後方がとがった「流線形」をしています。流線形をした翼は，翼の前方から来る風を受けることで，効率よく翼の上側を向く力，つまり揚力を生みだすことができます。

揚力が生まれる理由は，空気（流体）の流れを考えるとわかります。それは，翼の形や「迎え角」（くわしくは86ページ）などの影響により，翼の上面では翼の下面よりも空気が速く流れるためです。空気の流れが速いところは，**空気の流れが遅いところにくらべて，気圧が低くなります。これを「ベルヌーイの定理」といいます。**翼の上面では，翼の下面よりも気圧が低くなるため，翼の上側を向く力が生まれるのです。

ベルヌーイの定理を実感しよう

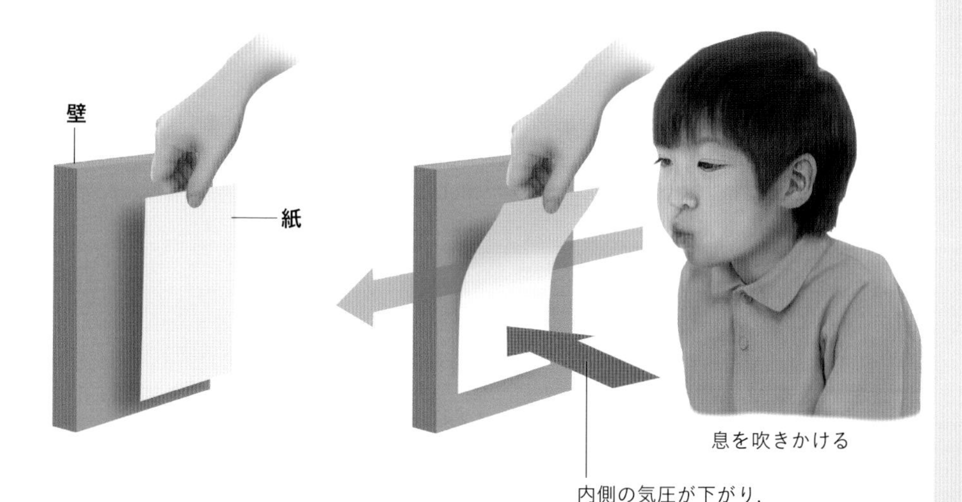

ベルヌーイの定理を実感するための実験です。壁の近くに紙をもっていき，壁と紙のすき間に強く息を吹きかけます。すると，内側の気圧が下がり，紙を壁のほうに押しつける力が生まれるのがわかります。

飛行機をなやます翼の先端の渦

下面の空気が，上面へまわりこもうとする

翼には，揚力の発生をさまたげる現象もおきます。それが，「翼端渦」です。翼端渦とは，翼端で，下面の圧力の高い空気が上面へとまわりこもうとするためにできる渦のことです。**この渦は，翼にはたらく揚力を減少させるだけでなく，飛行機が前に進むのをさまたげる力を生みだし，結果的に飛行機の経済性を悪化させてしまいます。**この力を，「誘導抗力」といいます。

翼端渦の影響を減らす方法は，大きく分けて二つあります。

一つ目は，翼の形をくふうすることです。翼端渦は翼の端で発生するため，単純にいえば，翼を細長く，そして翼の端を小さくなるようにすればいいのです。旅客機が，細長く，先端にいくにしたがってとがった翼をもつのは，翼端渦の影響をおさえるためなのです。

二つ目は，翼端渦のまわりこみを防ぐものを翼端に取りつける方法です。代表的なものに，「ウィングレット（右下の画像）」や「ウイングチップ・フェンス（右上のイラスト）」があります。A380のウイングチップ・フェンスは，小さな“矢じり”のような形のものが上下についており，これで，下面から上面へと翼端渦がまわりこまないようにしています。

ウイングチップ・フェンスの役割

翼の上下に発生する気圧差のために，翼の端には翼端渦が発生します。ウイングチップ・フェンスはこの翼端渦をさえぎることで，抗力の発生を防いでいます。

注：ウイングレットも同じはたらきをします。

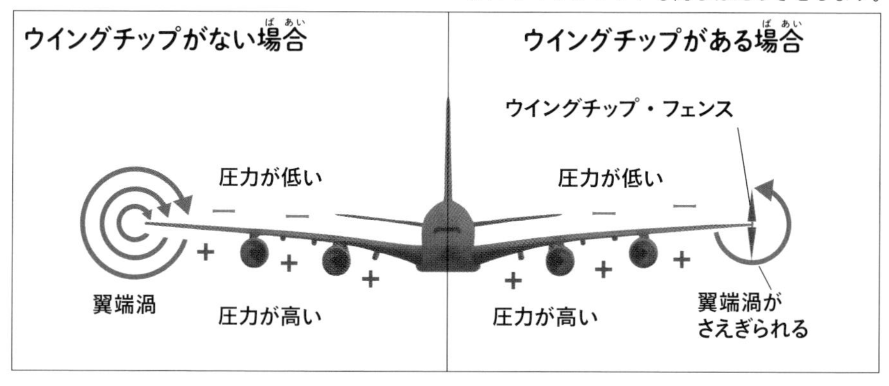

墜落の原因となる失速のメカニズム

翼の傾きが大きくなりすぎると，揚力が失われる

翼の迎え角やフラップと，揚力の関係

迎え角を大きくしたり（2），フラップを出して翼面積を大きくすることで（3），揚力を大きくすることができます。しかし，迎え角が一定の角度をこえて大きくなると揚力が失われ（4），失速します。失速する角度は，翼の断面や空気の流れの速度によって変化します。

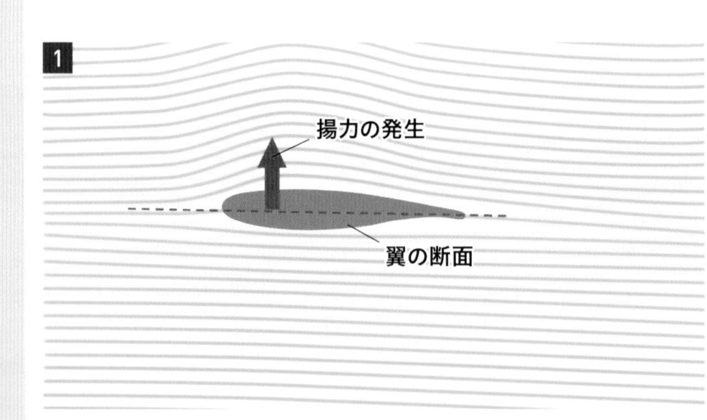

迎え角（風に対する翼の傾き角）が小さなときは，揚力はあまり大きくありません。

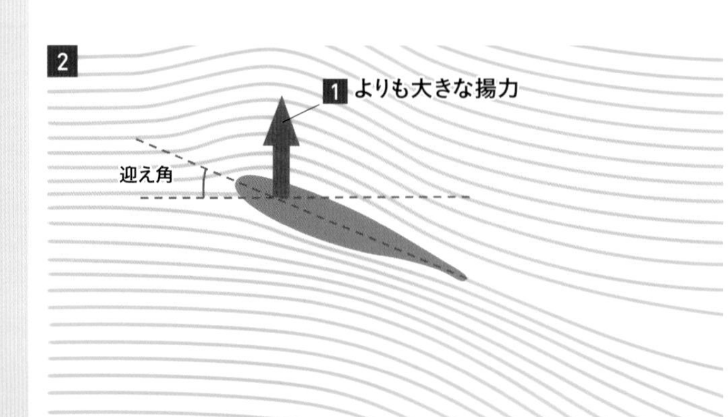

迎え角が大きくなるにしたがって，揚力も大きくなります。

揚力の大きさは，さまざまな方法で変えられます。一つ目は，速度です。揚力は，速度の2乗に比例して大きくなります。二つ目は，翼の大きさです。揚力は，翼の面積に比例して大きくなります。そして三つ目は，翼の傾きです。翼が，空気の流れに対してどれだけの角度で傾いているのかをあらわす値を「迎え角」といいます。**迎え角が大きくなるにしたがって，翼の上面と下面の気圧の差が大きくなり，揚力は大きくなるのです。**

迎え角を制御することは非常に重要です。というのも，迎え角が大きくなりすぎると，翼の上面の滑らかな空気の流れが翼から“はがれ”，急に揚力が失われてしまうからです。この現象を「失速」といいます。

飛行機は離着陸時，大きな迎え角をとるために失速が発生しやすく，高度も低いために墜落に至る危険性が高いのです。離陸後の3分間と着陸前の8分間は，とくに航空機事故が多く，「魔の11分間」とよばれます。

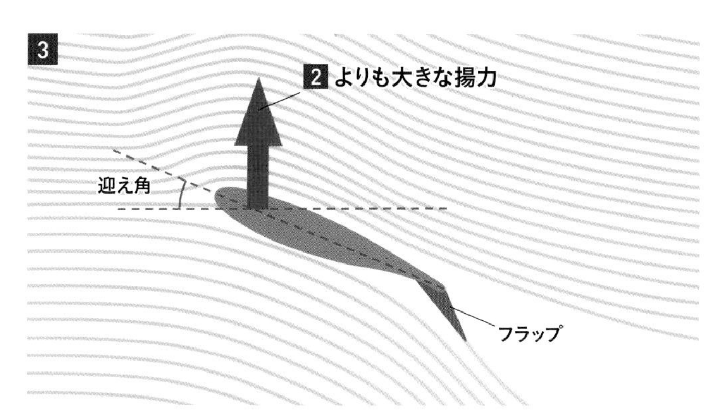

翼の後縁に収納していた「フラップ」を出し，翼面積をふやすことなどで，揚力をさらに大きくすることができます。

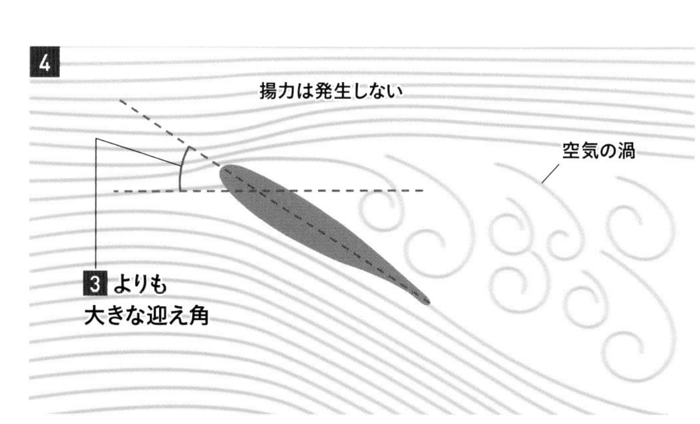

迎え角が大きくなりすぎると，翼の上面の滑らかな空気の流れが翼から“はがれ”，翼の上側に逆流領域ができます。この結果，揚力を得られなくなり，失速します。

まだまだある！　飛行機に関するひみつ

雷が落ちても飛行機は大丈夫！

気象レーダーを使い，雷雲を避けながら飛ぶ

飛行機に雷が落ちることは，それほどめずらしいことではありません。**飛行機は，機首部分に取りつけられた気象レーダー（右上の画像）を使い，進行方向に雷雲があるかどうかを調べて，雷雲を避けながら飛びます**。しかし，離着陸時に雲を突き抜けて進むときや，雷雲の近くを飛行するときには，雷を受けてしまうことがあります。

飛行機に雷が落ちても大丈夫なのかというと，ほぼ大丈夫です。雷の電流は，機体の胴体外側を通るため，機内の人が感電することはありません。**また，飛行機には，飛行中に空気や雲との摩擦でたまった静電気を逃がすための「放電索（スタティック・ディスチャージャー：右下の画像）」という装置があります**。雷が落ちたときには，放電索が雷の電気を逃がす役割もかねます。このため，飛行機に大きな被害が出ることはないのです。しかしまれに，通信機器や外装が損傷することはあるため，着陸後に点検を行っています。

雷にそなえるさまざまな装置

飛行中に雷が電気回路に悪影響をあたえないよう，気象レーダーで雷雲を避けたり，放電索で静電気を逃がしたりといったくふうがほどこされています。

注：機体に使われている複合材料は，金属にくらべて電気抵抗が大きく，雷が落ちると破壊される危険性があります。このため複合材料には，金属製のメッシュを表面にはるなどの対策がとられています。

機体の先端に取りつけられている「気象レーダー」

飛行機は気象レーダーを使い，進行方向に雷雲があるかどうか，電波の反射を使って調べながら飛びます。そして，もし航路上に雷雲があればあらかじめ方向を変え，できるだけ雷雲を避けて飛びます。現在，この気象レーダーを改良し，目に見えない乱気流（晴天乱気流）をとらえられる装置（航空機搭載型ドップラーライダー）の開発が進められています。

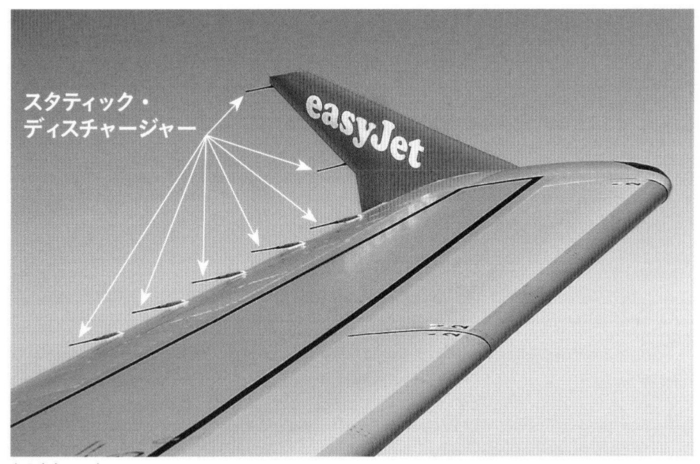

主翼に取りつけられた「スタティック・ディスチャージャー」

飛行機の機体には，静電気を逃がすための「スタティック・ディスチャージャー」（放電索）という装置が取りつけられています。放電索は雷を逃がす役割もかねており，たとえ飛行機に雷が落ちても，機内に大きな被害が出ることはありません。放電索は，大型機には約50本も取りつけられているといいます。

飛行機の天敵は鳥だった!

最悪の場合,墜落する危険性も

離着陸時の比較的高度が低い場所で,飛行機のコックピットやエンジンに鳥が衝突する現象を,「バードストライク」といいます。日本だけでも,年に1000件以上おきています。**鳥自体は小さくても,飛行機は時速300キロメートルをこえる猛スピードで飛んでいるため,機体が衝突時に受ける衝撃は非常に大きなものとなります**。エンジンなどがバードストライクによって故障した場合,離陸した空港に引き返すことにもつながります。また最悪の場合,エンジンの出力が低下して,墜落する危険性もあります。

バードストライクを防ぐために,空港ではバードパトロール員や管制塔の職員が,つねに上空を観測しています。そして鳥をみつけるたびに,空砲や爆竹の音で威嚇して,鳥が近づかないようにしています。最近では,ドローンを使う試みもなされています。しかし,広い空港をみまわることは大変で,とくに夜は困難です。**空港から完全に鳥を追い払うことは不可能であり,根本的な解決法はいまだにありません。**

バードストライク防止の効率化をはかるために,羽田空港は「鳥位置検出ソリューション」という装置を導入しています。まず,レーダー装置とカメラによって鳥の位置と姿を確認し,データ処理装置によって鳥の種類や飛行経路,行動パターンなどを把握します。その後,大音響発生装置によって鳥の苦手な音を出すことで,鳥を追い払うというものです。

バードストライクで壊れた機体の先端部分

バードストライクによってエンジンやピトー管（くわしくは21ページ）が故障した場合，離陸した空港に引き返さなければならなくなります。また最悪の場合，エンジンの出力が低下して，墜落してしまう危険性もあります。バードストライクは，日本だけでも年に1000件以上おきており，その経済的な損失は年に数億円規模になるといいます。

事故原因の解明に欠かせない『フライトレコーダー』

コックピットの会話を録音したり，運行データを記録したりする

「フライトレコーダー」とは，飛行機の飛行に関するさまざまな情報を自動的に記録する装置です。“ブラックボックス”ともよばれ，主にパイロットらの会話やコックピットで生じた音を記録する「コックピットボイスレコーダー（CVR）」と，飛行高度や速度，エンジンの出力，機体の位置や姿勢などといった運航データを記録する「フライトデータレコーダー（FDR）」からなります。

フライトレコーダーがその役割を果たすのは，重大な飛行機事故が発生したときです。記録されたデータを解析することで，事故原因の解明，およびその後の再発防止に役立てられます。そのため，どのような環境でも発見されやすいように，本体は蛍光のオレンジ色をしています。また強烈な衝撃や深海の水圧，高温の炎などにも耐えられるように，頑丈に設計されています。

また，フライトレコーダーには「クイックアクセスレコーダー（QAR）」という機能も付加されています。QARは必要に応じて各種データを取りだすことができるため，**機体のメンテナンスや運航改善などに役立てられることが多いのです。**

深海にも耐えられるフライトレコーダー

アメリカでは1969年9月以降に開発された航空機に，日本では1975年から旅客機に，現在のような形のフライトレコーダーの装着が義務化されています。フライトレコーダーはあらゆる環境に耐えられるよう，頑丈に設計されています。2009年6月におきたエールフランス447便（A330）の墜落事故では，大西洋（ブラジル沖）の海底，水深約3900メートル地点でフライトレコーダーが発見されています。

まだまだある！　飛行機に関するひみつ

音速をこえた飛行機には何がおきる？

衝撃波が生まれ，空気の抵抗を急激に受ける

飛行機の歴史にとって，速度向上は非常に大きなテーマでした。飛行機が速度を上げる際，一つの障壁があります。それが，「音の壁」です。音と同じ速さのことを「マッハ 1」といい，地上では時速1224キロメートルです（気温によって変化します）。

物体が空気中を音速より速い速度（超音速）で飛行すると，「衝撃波」が生まれます。**この衝撃波によって，飛行機は「造波抵抗」とよばれる空気の抵抗を急激に受けてしまうため，単純にエンジン推力を上げるだけでは音速をこえることは困難です。**

加えて飛行機の機体周囲の空気の流れは一様ではないため，機体の速度がおよそマッハ0.7～1.3の間（遷音速）では，周囲の気流には音速をこえる部分とこえない部分が混在します。これが原因となり，遷音速の速度域では，機体がゆれたり舵がとりづらかったりと，安定性が低下してしまうのです。

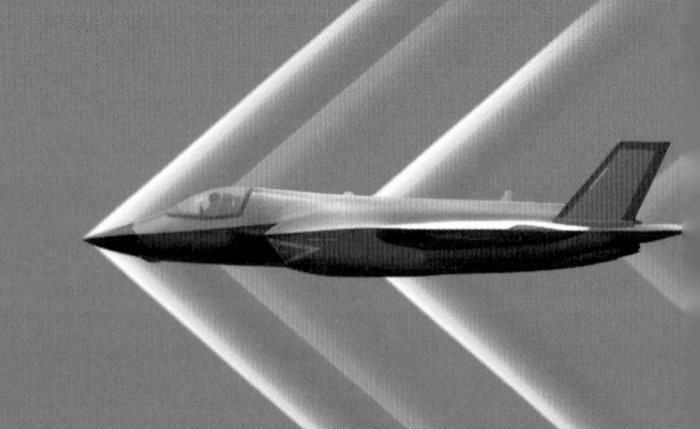

マッハ1.3

マッハ1をこえると，翼前縁や機首先端にも衝撃波が発生します。マッハ1.3をこえるほどの速度になると，機体全体の空気の流れはすべて音速をこえて安定するため，飛行は安定します。

「音の壁」をこえる困難

マッハ0.75からマッハ1.3までに発生する衝撃波をえがきました。機体の形状によって，衝撃波の形は変わります。マッハ0.7ほどであっても，空気の流れが速くなる主翼の上面などでは，部分的にマッハ1.0をこえ，衝撃波が発生します。

まだまだある！　飛行機に関するひみつ

ステルス性と機動性をあわせもつ戦闘機

翼の形で，衝撃波の発生を遅らせる

軍用機は，旅客機とはまったくことなる姿をしています。96～99ページでは，アメリカ，ロッキード・マーティン社が開発した戦闘機である「F-35B」にせまっていきましょう。

特徴的な主翼の前縁は，付け根から翼端に進むにしたがって後退しています（後退角をもちます）。逆に主翼の後縁は，翼端に進むにしたがって前進しています（前進角をもちます）。**後退角と前進角をもつ主翼は，速度を上げても衝撃波の発生を遅らせることができるといった特徴をもちます。**

主翼と水平尾翼は，実は同じ大きさの後退角と前進角になっています。**これは，角度をそろえることで，高い「ステルス性」（レーダーなどに探知されづらい性質）を得られるためです。**翼の形は，衝撃波の発生を遅らせるだけでなく，敵にみつからないためにも非常に重要なのです。

最新鋭戦闘機 F-35B

F-35Bは，F-35シリーズの一つです。F-35シリーズには，通常離着陸型の「F-35A」，短距離離陸・垂直着陸型の「F-35B」，艦載機型の「F-35C」の3タイプがあります。

リフトファン

コックピット

大画面タッチパネルを搭載しています。ヘッドアップディスプレイは搭載されておらず，パイロットは表示システムつきのヘルメットを装着します。

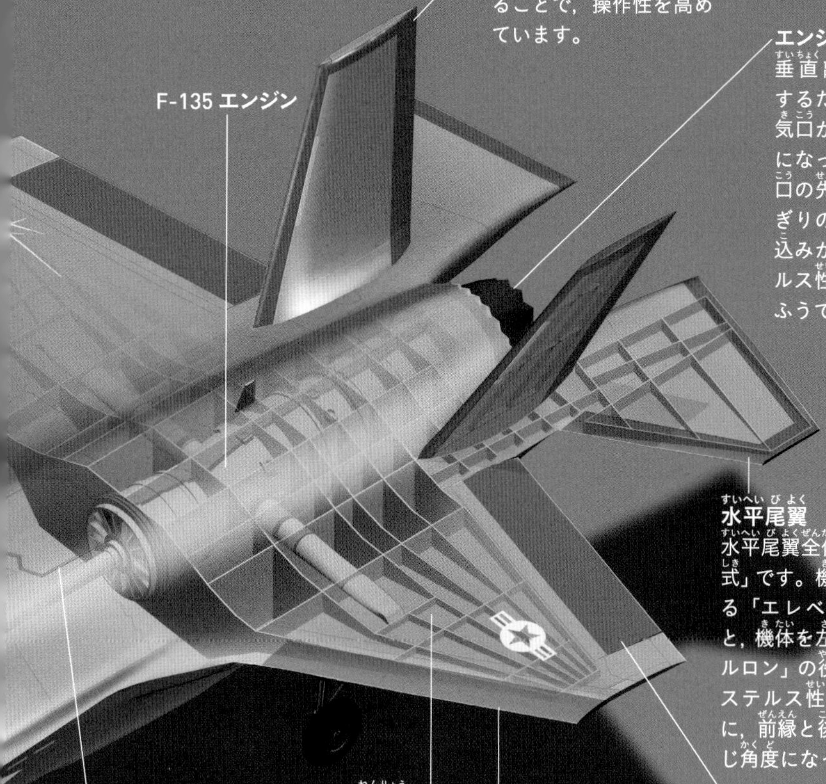

垂直尾翼
垂直尾翼を二つに分けることで，操作性を高めています。

エンジン排気口
垂直離着陸を可能とするため，エンジン排気口が真下を向くようになっています。排気口の先端部分に，のこぎりの歯のような切れ込みがあるのは，ステルス性確保のためのくふうです。

F-135 エンジン

水平尾翼
水平尾翼全体が動く「全遊動式」です。機首を上下に向ける「エレベーター」の役割と，機体を左右に傾ける「エルロン」の役割をかねます。ステルス性を確保するために，前縁と後縁は，主翼と同じ角度になっています。

燃料タンク

前縁フラップ
ほぼ全翼幅にわたる大きなフラップをもちます。低速飛行時により大きな揚力をつくりだすことができ，離着陸距離の短縮や機動性の向上につながります。

補助空気取り入れ口
垂直離着陸時に開き，ここから取り入れた空気を下部に排出することで，垂直離陸を可能にしています。

後縁フラッペロン
「フラッペロン」とは，高揚力装置である「フラップ」と，機体を左右に傾ける「エルロン」を合わせた言葉です。その名のとおり，フラップやエルロンとして使用します。

戦闘機の特殊なエンジン

排気を再燃焼させて，大きな推力を得る

ホバリングを行うF-35B

エンジンの下向き推力は最大で約8.5トン重，リフトファンも約8.5トン重，そして「ロールポスト」は二つ合わせて約1.5トン重です。

戦闘機のエンジンには，「アフターバーナー」がついていることが多いです。エンジンが排出したガスの中には，まだ多量の酸素が残っています。**この排気にふたたび燃料を注いで燃焼させて，大きな推力を得る装置がアフターバーナーです。**アフターバーナーを使うことで，短距離での離陸や急加速などが可能となります。F-35BのF-135エンジンの場合，通常の最大出力は約12トン重ですが，アフターバーナーを使用すると，出力は約19トン重にまで上昇します。

さらに，排気の方向を変えることのできる「推力偏向ノズル」が装備されている戦闘機もあります。**F-35Bの場合は，この推力偏向ノズルを使用することによって，垂直離着陸や空中停止が可能となりました。**

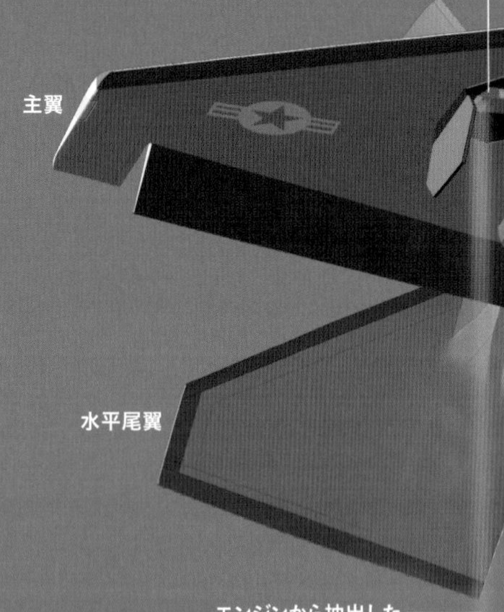

推力偏向ノズル（エンジン排気口）

真後ろから真下まで排気の向きを変えることができます。排気口を下に向けているときは，アフターバーナーは使用できません。

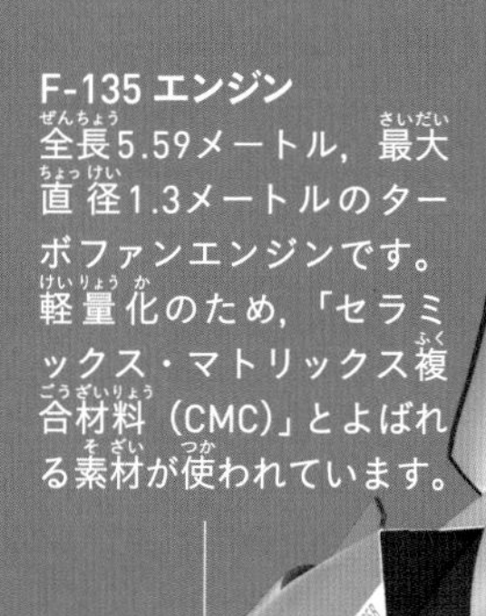

F-135 エンジン

全長5.59メートル，最大直径1.3メートルのターボファンエンジンです。軽量化のため，「セラミックス・マトリックス複合材料（CMC）」とよばれる素材が使われています。

リフトファン

ホバリングや垂直離着陸時に下向きの推力を得るため，空気を上部から吸いこみ，ファンで加速して下部に排出します。同時に，推力偏向ノズルからの推力とのバランスによって，ピッチング（上下方向の回転）の制御を行います。

ロールポスト

ホバリングや垂直離着陸時に，エンジンから抽出した圧縮空気流を排出することで，ローリング（横方向の回転）の制御を行います。

リフトファンからの排気

エンジンから抽出した圧縮空気流

ジェット噴流

アフターバーナーのしくみ

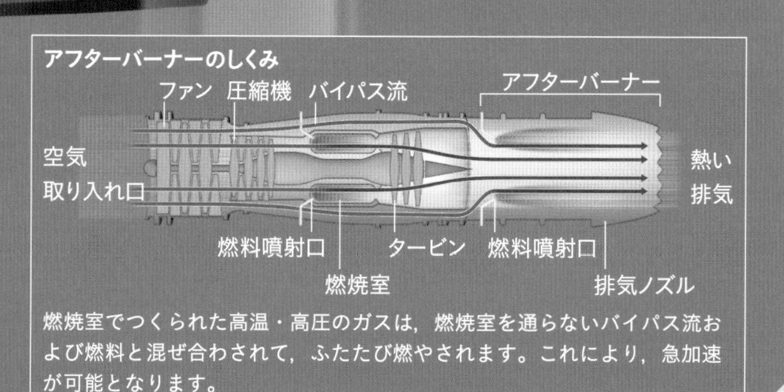

燃焼室でつくられた高温・高圧のガスは，燃焼室を通らないバイパス流および燃料と混ぜ合わされて，ふたたび燃やされます。これにより，急加速が可能となります。

Column

コーヒーブレーク

紙のグライダーをつくってみよう！①

紙1枚とハサミ，クリップさえあれば，簡単でしかもよく飛ぶグライダーをつくることができます。

このグライダーをつくって飛ばしてみれば，飛行機にとって，重心の位置や飛行を安定させるための翼のはたらきがいかに重要かを実感できることまちがいありません。
ぜひ挑戦してみましょう！

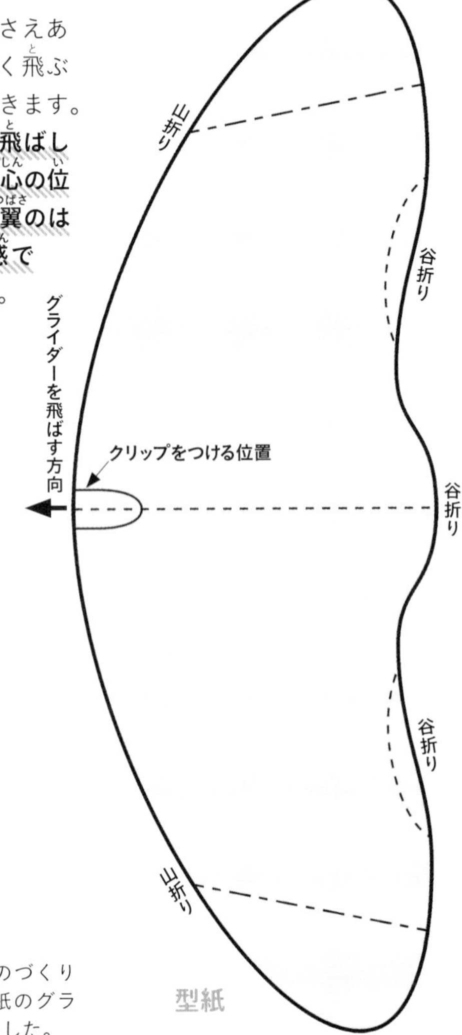

注：グライダーのデザインは，『ものづくりハンドブック4』（仮説社）の「紙のグライダー」（8ページ）を参考にしました。

つくり方

1. 型紙をコピーして切り抜く

左ページをコピーして，型紙を切り抜きます。一般的なコピー用紙でも問題ありませんが，ある程度の厚さとかたさがある紙のほうがつくりやすく，飛ばしやすいので，コピーした型紙を使い，画用紙などを同じ形に切り抜いてもよいでしょう。

2. 点線に沿って折る

切り抜いた紙のグライダーを，型紙にしたがって折ります。折り目の角度は，すべて120°～140°程度にするとよいでしょう（下の図参照）。翼の後ろ側にある曲がった点線部分は，この部分が翼から立ち上がるように谷折りにします。

3. クリップをつけて完成！

先頭部分に，グライダーから半分ほど飛びだすようにクリップをつけたら完成です。クリップのつけ方（さしこみ方）によって，グライダーの重心の位置は前後にずれます。実際に飛ばしてみて，クリップのつけ方を調整します。

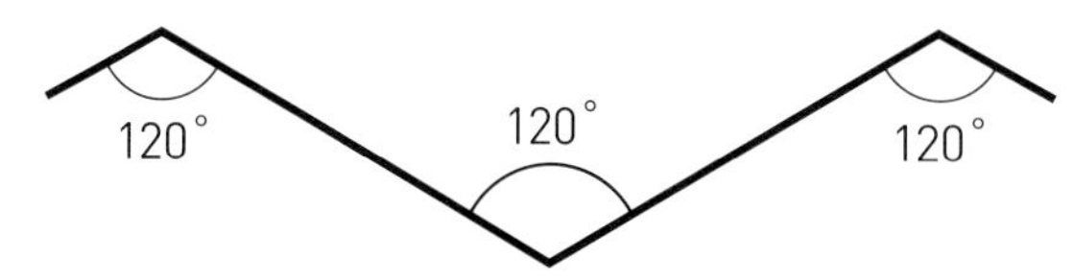

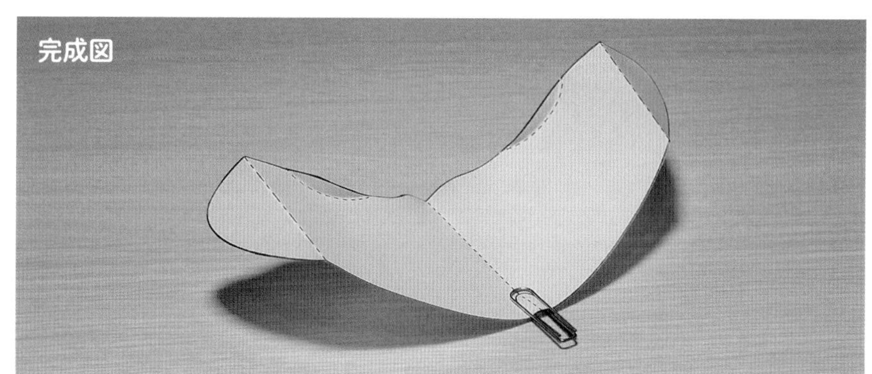

Column

コーヒーブレーク

紙のグライダーをつくってみよう！②

前のページで紹介したグライダーをうまく飛ばすこつを教えましょう。

完成したグライダーのおしりを指でつまみ，水平にやさしく押しだすように放ちます。グライダーが滑らかに滑空すれば，成功です。クリップのつけ方がよく，重心の位置がちょうどよいということです（右下のイラストのA）。

もし，グライダーがすぐに下向きに落ちるようであれば，重心が最適な位置よりも前方にあることを意味します（B）。クリップが重すぎたり，前方に飛びだしすぎたりしていることが原因です。小さな軽いクリップに変えたり，クリップを深くさしこんだりして，重心の位置を後ろにします。

もし，グライダーが急上昇と失速をくりかえすようであれば，重心の位置が最適な位置よりも後方にあることを意味します（C）。クリップが軽すぎたり，深くさしこまれすぎたりしていることが原因です。大きな重いクリップに変えたり，クリップを前方に飛びださせたりして，重心の位置を前にします。

もし，飛ぶ方向が左右どちらかに曲がってしまう場合は，翼の折り方の左右のバランスがとれていないことが考えられます。翼の両端や後ろ側の折り方を調整してみましょう。右ページで紹介した**飛行を安定させるしくみをみて，まっすぐに飛ばない原因を探ってみるとよいでしょう。**

グライダーの飛行を安定させるしくみ

前後のバランスをとる

翼の後ろ側を立てることで，頭（機首）が上下に回転する動き（ピッチング）をおさえ，前後のバランスを保つ。飛行機の「水平尾翼」と同じ役割。

左右に傾くことを防ぐ

翼（主翼）が両端に向かって上がることで，グライダー全体が左右に傾く動き（ローリング）をおさえる。機体の旋回を防ぎ，直進性を高める。

左右への首振りを防ぐ

翼の両端を下に折ることで，頭（機首）が左右に回転する動き（ヨーイング）をおさえ，直進性を高める。飛行機の「垂直尾翼」と同じ役割。

上下の安定性を高める

クリップ（おもり）をつけて，重心の位置を前方にもってくる（頭を重くする）ことで，機首が上がって失速することを防ぎ，上下の安定性を高める。

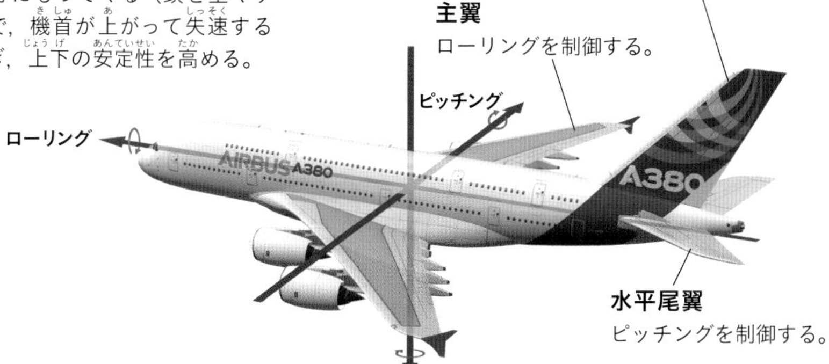

垂直尾翼

ヨーイングを制御する。

主翼

ローリングを制御する。

水平尾翼

ピッチングを制御する。

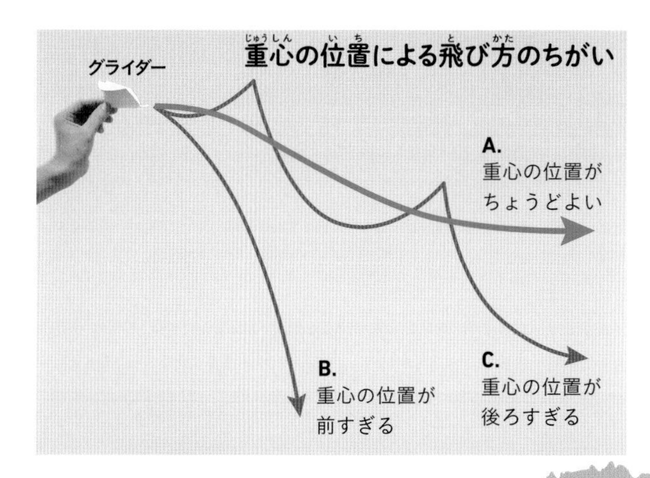

5

空を夢みた人類の歴史

昔から，人類は鳥のように空を飛ぶことを夢みてきました。オットー・リリエンタールをはじめ，多くの先人たちがチャレンジをし，1903年，ついにライト兄弟がはじめてそれを実現しました。それ以来，今日まで飛行機は急速な進歩をとげてきたのです。

U.S. AIR FORCE

空を夢みた人類の歴史

人類の夢をのせた『ライトフライヤー号』

ライト兄弟の熱心な研究と地道な努力が実を結んだ!

1903年12月17日, **ライト兄弟はアメリカのノースカロライナ州キティーホークで, 自ら開発した「ライトフライヤー号」に乗りこみ, 人類初の有人動力飛行を成功させました。**

ライト兄弟とは, 自転車店をいとなんでいたウィルバー・ライト(兄, 1867～1912)とオービル・ライト(弟, 1871～1948)のふたりです。すぐれた開発戦略と, 科学的で緻密な予備実験, そして人並みはずれた情熱によって, ライト兄弟はわずか4年という短期間で, 偉業をなしとげました。

ライトフライヤー号は, ガソリンエンジンで駆動するプロペラ機です。 機体の大きさは, 全長6.4メートル, 高さ2.7メートル, 重量274キログラム, 翼の全幅は12.3メートルです。ライト兄弟は, 骨格はもちろん, エンジンからプロペラに至るまで, 機体のすべてを自作しました。ライトフライヤー号には, ライト兄弟によるさまざまなくふうが盛りこまれています。

❶プロペラ
左右2基，直径2.4メートルのプロペラが，機体後方に取りつけられています。左右のプロペラはたがいに逆方向に回転します。機体の左右バランスをとるためのくふうです。

❷ガソリンタンク
（容量1.5リットル）

❸ラジエーター
エンジンを水で冷やします。

❹昇降舵
操縦桿によって昇降舵の角度が制御され，機体の上昇・下降をもたらします。

❺エンジン

❻風速計

❼操縦桿

❽クレイドル

❾操縦席
クレイドル（ゆりかご）とよばれる部分に腰を乗せ，腹ばいになって操縦します。操縦桿によって，機体の上昇・下降をコントロールし，腰を使ってクレイドルを左右にスライドさせると，機体が旋回します。

❿方向舵
2枚の方向舵が，たわみ翼と連動して動きます。たわみ翼のみによって旋回すると機体が横滑りしてしまいますが，方向舵がそれを防いでいます。

⓫プロペラシャフト

⓬チェーン

⓭複葉構造の主翼
上下2枚の主翼が，木製の柱によって連結され，強度の高い構造をつくっています。それぞれの主翼は，木材の骨組みに布をはり，その表面に防水用のコーティングをほどこしました。

⓮特許を取得した「たわみ翼」
クレイドルの動きがワイヤーによって主翼に伝わると，主翼はねじれ，左右の揚力に差が生まれて機体は旋回します。

特許を取得したライト兄弟の操縦法

ねじることができる特殊な翼を考案

ライトフライヤー号の操縦法

操縦席のクレイドル（腰で操作する鞍）の動きがたわみ翼の主翼に伝わると，主翼がねじれます。また，主翼と連動して，方向舵が動きます。その結果，機体が旋回します。昇降舵は，操縦桿で操作します。

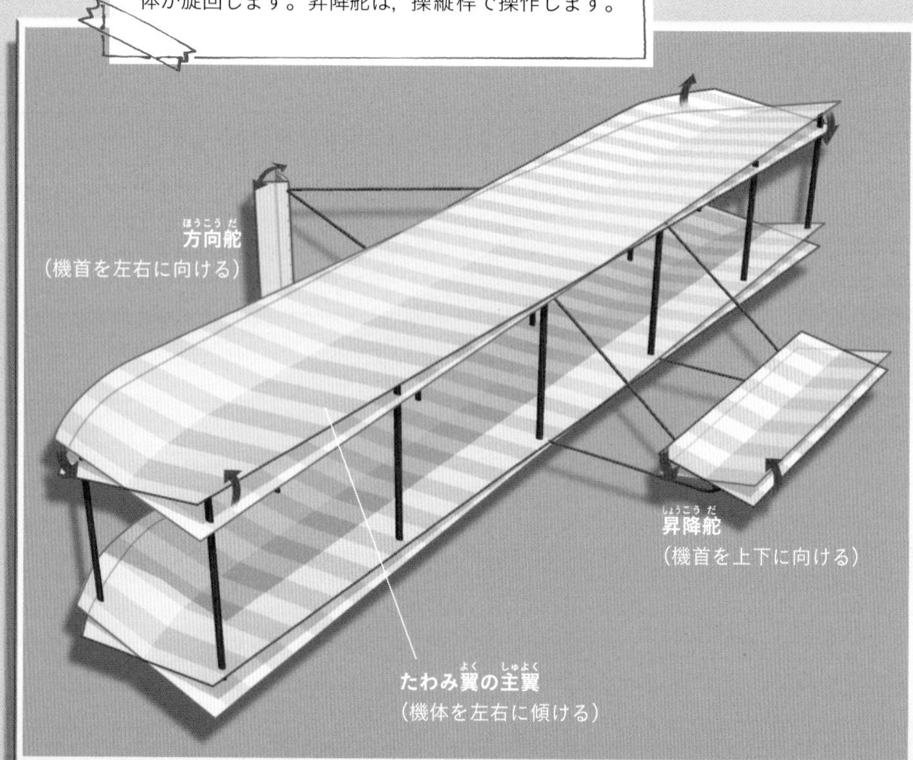

ライトフライヤー号について特筆すべきは，機体をコントロールするためのしくみが確立されていることです。**その中で最もすぐれた発明の一つが，機体を旋回させるための構造である「たわみ翼」です。**空を舞う鳥が翼をひねって旋回していることにヒントを得たライト兄弟は，ねじることができる翼をたわませて旋回するしくみを考えついたのです。ライト兄弟は，このたわみ翼による操縦方法について，1904年にドイツで，1906年にアメリカで特許を取得しました。

初飛行をきそったいくつかの飛行機は，風などによって機体がバランスをくずすと，それを自動的に立て直すためのしくみがそなえられていました。しかしこのようなしくみは，操縦に対する機体の反応を鈍いものにしてしまいます。

ライト兄弟は，飛行機を設計するにあたり，自らの意思で操縦できるという点を重視しました。機体をあえて不安定なつくりにしておき，人の操縦に鋭く反応する飛行機をめざしたのです。

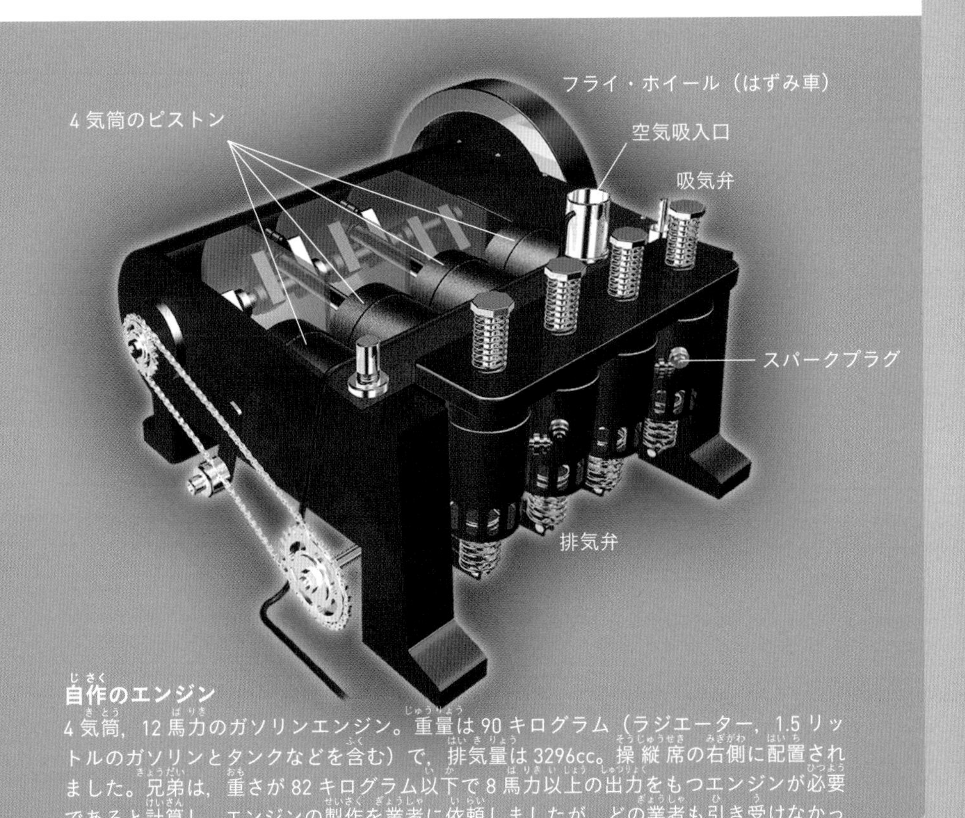

自作のエンジン

4気筒，12馬力のガソリンエンジン。重量は90キログラム（ラジエーター，1.5リットルのガソリンとタンクなどを含む）で，排気量は3296cc。操縦席の右側に配置されました。兄弟は，重さが82キログラム以下で8馬力以上の出力をもつエンジンが必要であると計算し，エンジンの製作を業者に依頼しましたが，どの業者も引き受けなかったため，助手のチャールズ・テイラーの助けを借りて，このエンジンを自作しました。

空をめざした先人たちの努力

小麦粉の箱で風洞実験装置を作製

ライト兄弟は，1894年のある日，雑誌に掲載された写真を見て心を奪われました。そこには，ドイツの航空研究家オットー・リリエンタール（1848～1896）が，グライダーに乗って空を舞う姿が写っていたのです。しかしその2年後，リリエンタールが墜落死したことを知り，衝撃を受け，自分たちで飛行機をつくりたいという思いを強くしました。**そして航空に関するさまざまな文献を熟読し，空気力学についての理解を深めていきました。**

ライト兄弟は，1900年に1号機，1901年には2号機のグライダーを製作しました。翼の形は，リリエンタールのデータを参考にして決めました。しかしどちらのグライダーも，期待した性能は示しませんでした。翼が，機体を浮かせる力である「揚力」を，リリエンタールのデータどおりには発生させていないようでした。**そこで，小麦粉の箱に送風機を取りつけて「風洞」とよばれる実験装置をつくり，翼が生みだす揚力と抵抗を自らの力で測定し直しました。**そして最適な性能を示す翼の形を突きとめたのです。

リリエンタールの単葉式グライダー
リリエンタールは，単葉式のほかに複葉式のグライダーも製作し，自ら多くの飛行実験を行いましたが，1896年に墜落死しました。

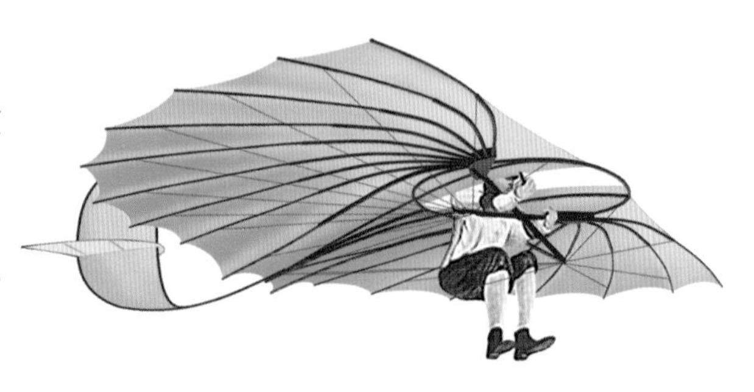

1900年のグライダー模型

無人のグライダーであり，糸でつないでたこのように飛ばしました。たわみ翼によって機体を操縦するしくみは，このグライダーですでに確立されていました。兄弟はその後，1901年に2号機，1902年に3号機グライダー（いずれも有人のもの）を製作しました。

自作の風洞実験装置

小麦粉の箱に，ガソリンエンジンで駆動する扇風機を取りつけてつくりました。内部には自作の天秤を設置し，ここにミニチュアの翼を取りつけて，風によって発生する揚力と抵抗を測定しました。ライト兄弟は，200種類にもおよぶ翼のデータをとり，最適な翼の平面形と，反りの度合いを決定しました。

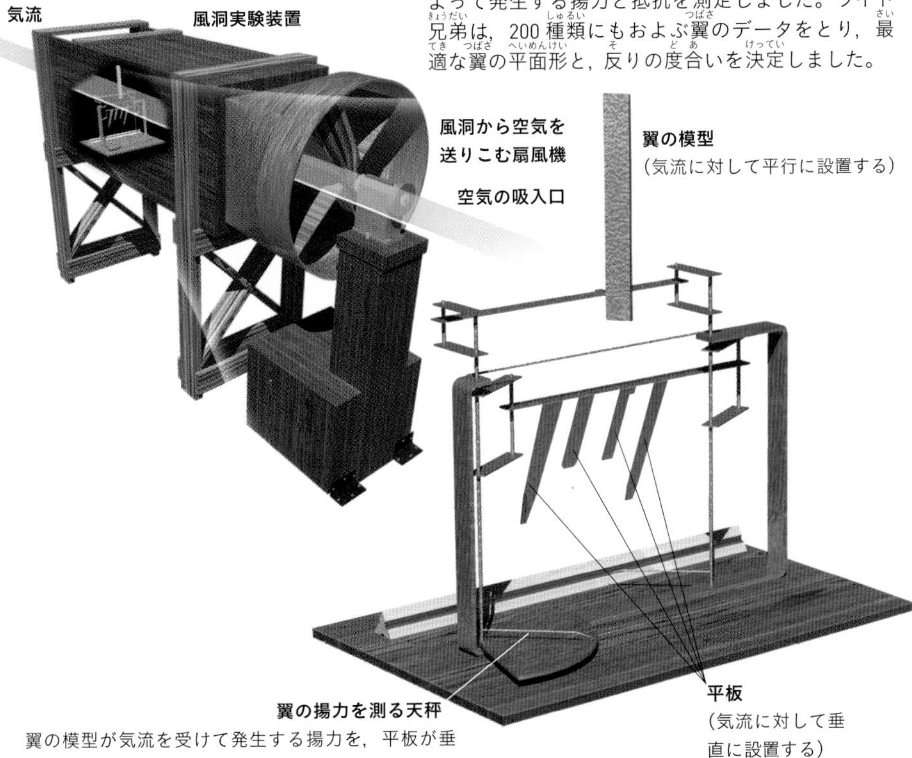

ライト兄弟が有人飛行に成功した日

弟が操縦するライトフライヤー号は36メートル飛行した

ライト兄弟が飛行実験の地に選んだキティーホーク

アメリカ東海岸の砂州に位置するキティーホークは，一定の強い風が吹く砂地です。キティーホークには，キル・デビル・ヒルとよばれる砂丘があり，ライト兄弟は1900年から1903年まで，この斜面を使ってグライダー実験をくりかえしました。向かい風での飛行は，大きい揚力が得られるうえに，前進のスピードが減速されるので着地を容易に行える利点があります。また，砂地での着地は衝撃が少なく，実験に安全性をもたらしました。兄弟はこの砂地に質素な小屋を建て，そこでキャンプ生活を行いました。

風洞実験の成果は絶大で，1902年に製作した3号機のグライダーは，期待どおりの飛行能力をみせました。翌年ふたりは3号機グライダーによる飛行実験を1000回くりかえし，操縦技術をみがきました。**そしてグライダーに自作のエンジンとプロペラを取りつけ，ライトフライヤー号はとうとう完成しました。**

一度目の飛行は失敗し，むかえた12月17日午前10時35分。朝から秒速10～12メートルの北風が吹くキティーホークで，ライト兄弟はふたたび初飛行に挑みました。南北方向に設置した長さ18メートルの滑走用のレールに沿って，北に向かって約11メートル滑走したのち，ついに機体がふわりと浮き上がりました。**飛行距離わずか36メートルの，史上初の有人動力飛行の瞬間でした。**

ライト兄弟と同時期に空に挑んだ日本人

軍部に受け入れられず，最後は失意に沈んだ「二宮忠八」

ライト兄弟の成功より10年以上前，空を飛ぶことを真剣に考えていた日本人の青年がいました。現在の愛媛県八幡浜市の海産物問屋の四男として生まれた二宮忠八（1866～1936）です。

忠八は23歳のとき，カラスが羽の角度を調整することによって，風の力を揚力にかえて飛んでいることに気づきました。そこから忠八は，羽を固定したままでも飛べることを発見し，この原理にもとづけば人間も同様に空を飛ぶことができると考えたのです。

右ページに示した「玉虫型飛行器（機）」は，人が乗ることを想定して設計・製作されたものです。忠八がこの模型を完成させたのは，ライトフライヤー号が製作される実に8年ほど前のことです。

1894（明治27）年7月に日清戦争が勃発すると，忠八は自分の考案した飛行器があれば戦いに役立つのではないかと考え，飛行器の開発を願いでる上申書と飛行器の概念図を軍に提出しましたが，却下されてしまいました。戦争が終結したあとも忠八は再三，上申書を軍の上層部にみてもらおうとしましたが，受け入れられることはありませんでした。

1902（明治35）年，京都に住むようになった忠八は，近所の精米所で石油発動機（エンジン）がはたらいているのを目にします。そして，このような発動機を使ってプロペラを動かせば，夢にえがいた飛行器がついに実現するかもしれないと考えました。

一方で，太平洋をへだてたアメリカでは，1903（明治36）年にライト兄弟が初飛行を成功させました。**このニュースを知った忠八は男泣きをし，製作途中だった機体（実物大の玉虫型飛行器）を破壊し，以降きっぱりと飛行器の製作をやめてしまいました。**

玉虫型飛行器

忠八は，タマムシ（玉虫）がかたい羽を広げたまま飛び上がり，その下にあるやわらかい羽を動かして推進することに注目し，1893（明治26）年に，有人飛行を前提として設計した複葉の「玉虫型飛行器」の模型をつくり上げました（全幅約81×全長約43×全高約25センチメートル）。

写真提供：八幡浜市教育委員会

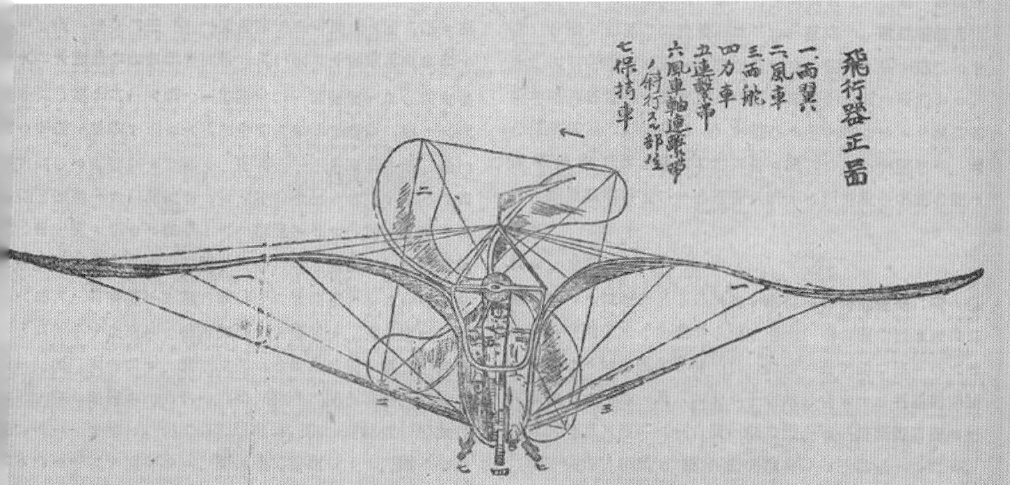

『帝国飛行』第5巻4号，1920（大正9）年／出典：国立国会図書館

「二宮式飛行器の構造」

『帝国飛行』に掲載された，上申書に添えられた飛行器の説明図。（一）両翼，（二）風車（プロペラ），（三）両舵，（四）力車（滑走するための車輪），（五）連繋帯，（六）風車軸連繋帯の斜行する部位（不明），（七）保持車（補助車輪）と，図に番号をふって説明しています。

日本で最初に動力飛行に成功したのはいつ?

1910年12月19日, 代々木練兵場で行われた

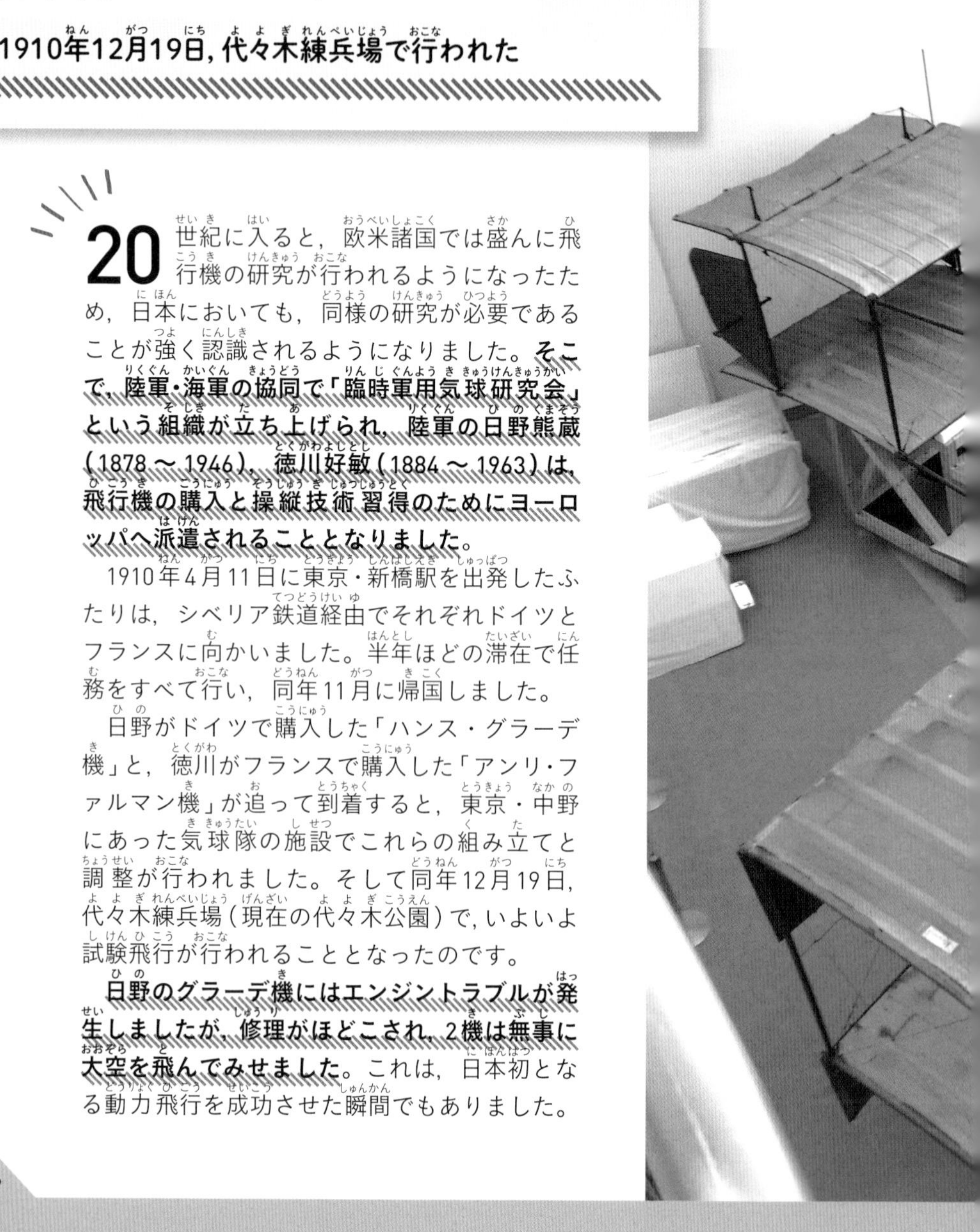

20世紀に入ると，欧米諸国では盛んに飛行機の研究が行われるようになったため，日本においても，同様の研究が必要であることが強く認識されるようになりました。**そこで，陸軍・海軍の協同で「臨時軍用気球研究会」という組織が立ち上げられ，陸軍の日野熊蔵（1878～1946），徳川好敏（1884～1963）は，飛行機の購入と操縦技術習得のためにヨーロッパへ派遣されることとなりました。**

1910年4月11日に東京・新橋駅を出発したふたりは，シベリア鉄道経由でそれぞれドイツとフランスに向かいました。半年ほどの滞在で任務をすべて行い，同年11月に帰国しました。

日野がドイツで購入した「ハンス・グラーデ機」と，徳川がフランスで購入した「アンリ・ファルマン機」が追って到着すると，東京・中野にあった気球隊の施設でこれらの組み立てと調整が行われました。そして同年12月19日，代々木練兵場（現在の代々木公園）で，いよいよ試験飛行が行われることとなったのです。

日野のグラーデ機にはエンジントラブルが発生しましたが，修理がほどこされ，2機は無事に大空を飛んでみせました。これは，日本初となる動力飛行を成功させた瞬間でもありました。

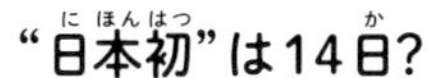

“日本初”は14日?

代々木練兵場での試験飛行は当初，15・16日を試験日とし，天候その他の都合を考えて17・18日を予備日と定めていました。予定より早く調整がすんだグラーデ機は14日から試験をはじめましたが，すぐに10メートルの高さで60メートルの飛行に成功しました。しかし，この日はもともと公式の試験日ではなかったことから，「滑走中の余勢で誤って離陸した」と報告されました。

所沢航空発祥記念館で，2022年2月まで展示されていたアンリ・ファルマン機の実機（所有：防衛省航空自衛隊）。右側が機首。下の木枠は台座で，本体の一部ではない。

協力：所沢航空発祥記念館

空を夢みた人類の歴史

急速に進化していった飛行機

音速の壁を突破し，無給油・無着陸で世界一周した

1903年に行われたライト兄弟の初飛行から，航空工学は爆発的ともいえる，急激な進歩をとげました。**なかでも推進装置の進化は，飛行機の飛行速度と活動範囲を，飛躍的に向上させました。**

1947年，ロケットエンジンを搭載したロケット機「X-1」が，人類史上はじめて音速の壁を突破しました。ロケット機は，飛行速度が速いだけでなく，空気にかわる酸化剤を使って燃料を燃やすため，空気のないところでも推進することができます。つまり人類は，宇宙空間を移動する手段を手に入れたのです。

1986年12月14日には，アメリカを出発したプロペラ機「ボイジャー号」が，216時間をかけて4万212キロメートルを飛び，無給油・無着陸での世界一周飛行に成功しました。そして2007年には，ここまで多くのページを割いて解説してきた，機体全長73メートル，主翼全幅79.8メートルを誇る，超大型ジェット旅客機エアバス「A380」が就航しました。

そして飛行機は，いまもなお，進化をつづけているのです。

近年の主な航空史

1903年	ライト兄弟，ライト・フライヤー号による初の動力有人飛行
1909	ブレリオ，プロペラ機によるドーバー海峡横断飛行
1927	リンドバーグ，プロペラ機による大西洋横断単独飛行
1947	ロケット機 X-1 による世界初の超音速飛行
1949	初のジェット旅客機デ・ハビランド・コメットの初飛行
1963	ロケット機 X-15 による最高高度記録樹立
1967	ロケット機 X-15 による最高速度記録樹立
1968	世界初の超音速旅客機（SST）ツポレフ Tu-144 の初飛行
1969	巨大ジェット旅客機ボーイング 747 の初飛行
1969	超音速旅客機コンコルドの初飛行
1981	スペースシャトル初飛行
1986	ボイジャー号が無着陸・無給油での世界一周飛行に成功
2007	史上最大のジェット旅客機エアバス A380 が就航
2016	ソーラー・インパルス II が世界一周飛行を達成

※：宇宙機をのぞく

X-15

アメリカが開発した高高度・高速試験機。航空機というよりロケットそのものに近い外見（全長 15.97 メートル，主翼全幅 6.83 メートル）です。1963 年に達成した最高高度記録 10 万 7960 メートルと，1967 年に達成した時速 7297 キロメートル（マッハ 6.72）という最高速度記録は，有人飛行の記録としては，どちらもいまだに破られていません※。X-15 の成果は，のちにスペースシャトルの開発へとつながっていきました。

ボイジャー号

無給油・無着陸での世界一周飛行を達成した初の飛行機。全長 7.7 メートルの中央胴体の前後にプロペラをもっています。全長 8.9 メートルの胴体を左右に配し，三つの胴体を連結するように，全幅 33.8 メートルの主翼がのびています。5636 リットルもの燃料を，主翼と左右ブームの内部に積みこむことができ，中央胴体で 2 名のパイロットが交代で操縦します。

時代に名をきざんだ 超音速旅客機

ニューヨーク–ロンドン間を約3時間30分で飛行したコンコルド

1950年代後半～60年代，第2世代のジェット旅客機が活躍する一方で，超音速での飛行をめざす機種の開発が進められました。**その代表が，イギリス企業とフランス企業の共同開発による「コンコルド」です。**

コンコルドは，空気抵抗の小さい先のとがった機首（ノーズコーン）やデルタ翼の空力特性を改善した「オージー翼」，アフターバーナーつきの4基のターボジェットエンジン，旅客機では世界初となるフライ・バイ・ワイヤ（アナログ式）の採用など，戦闘機のような“装備”をもっています。**これにより，約5500キロメートルあるニューヨーク–ロンドン間を約3時間30分で飛行しました（最速記録は2時間53分，1996年）。**通常の航空機としての最速記録が，2020年にブリティッシュ・エアウェイズのB747が出した4時間56分なので，コンコルドの速さがよくわかります。

コンコルドは1976年に運航を開始しましたが，B747の成功に象徴される大量輸送時代の到来や，騒音と燃費の悪さにより，2003年11月に全機が退役しました。

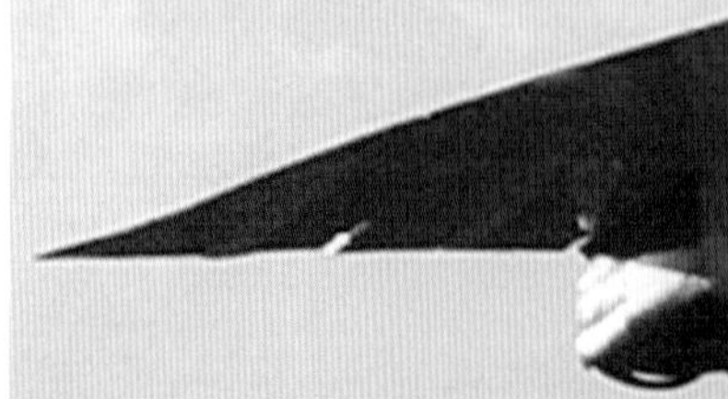

コンコルド
オージー翼は音速飛行時の空気抵抗が小さい，水平尾翼がなくても機体を安定させることができるなどのメリットがある反面，一般的な旅客機にくらべて揚力を得にくいため，離着陸時は機首を大きく上げた姿勢をとる（迎え角を大きくする）必要があります。そのため，機尾には“しりもち”を避けるために，収納式のテールスキッドが装着されています。また，ランディングギアは長く，機首はパイロットの視界を確保するために折り曲げられる（下げる）機構をもちます。

不名誉なところに名を残す「コンコルド効果」

ギャンブル依存症の人などに指摘されるものに「コンコルド効果」とよばれる心理現象があります。それは，ある時点までに費やしたコスト（費用・時間・労力など）がむだになってしまうことを受け入れられず，よい結果が得られる見通しがないのにコストの投入をやめられない心理のことです。これは，コンコルドが燃費や座席数などからビジネスとしての成功が危ぶまれていたのに，開発を中止することができなかったというエピソードから名づけられています。

日本ではじめて設計・生産された旅客機

航空技術を再結集して完成した「YS-11」

埼玉県・所沢航空記念公園に展示されているYS-11A-500R（管理：所沢航空発祥記念館）。1969年製（101号機）で，エアーニッポンで活躍しました。YS-11は1974年の生産中止までに計182機が製造され，海外にも輸出されました。旅客機としての国内での運航は2006年で終了しましたが，2023年7月現在，自衛隊機としては活躍をつづけているようです。

第2次世界大戦後，航空機に関連する研究や開発がいっさい禁止されていた日本ですが，1950年に朝鮮戦争がおきると，航空機や船舶などの修理や物資の補給といった依頼が米軍から寄せられたため，52年には禁止令が解除されました。これにより，通産省（現・経済産業省）は，日本航空工業会に依頼し，当時広く活躍していた旅客機「DC-3」の代替機となる国産輸送機の基本案をまとめました。

1957年，「財団法人輸送機設計研究協会（輸研）」が設立されると，木村秀政（1904～1986）や土井武雄（1904～1996），堀越二郎（1903～1982）をはじめ，優秀な技術者たちが集結しました。**そして，せまい飛行場でも運航できること，座席は60席程度などといった基本案がつくられ，機体の基本設計が完了しました。この飛行機は，協会名などから「YS-11」と名づけられました。**

1959年に，役目を終えた輸研が解散。同年，新たに設立された半官半民の「日本航空機製造株式会社」が，YS-11の開発を引き継ぎました。設計チームが編成され，リーダーには堀越の弟子でゼロ戦の設計にもたずさわった，三菱重工の東條輝雄（1914～2012）が選ばれました。

試行錯誤の末に完成した試作1号機（飛行試験機）は，1962年8月30日に名古屋空港で初飛行を成功させます。しかし一方で，操縦性の悪さ（右方向への偏向）や横方向の安定性の不足といった深刻な問題点が露呈し，改修を余儀なくされました。

その後，YS-11は1964年に運輸省（現・国土交通省）の型式証明を，翌65年にはアメリカ連邦航空局の型式証明を取得。ついに，国内での納入・運航および輸出が開始されることとなったのです。YS-11は1974年の生産中止までに計182機が製造されました。

6

最新の飛行機と次世代航空機

この章では，今後飛行機がどのように変わっていく可能性があるのかを，実例を示しながら紹介します。CO_2 を出さない環境にやさしい飛行機や空飛ぶ車，タクシーがわりに使われる飛行機や新世代型の超音速旅客機など，飛行機の近未来の姿です。

AIRBUS ZEROe
OM-KLZ

新世代ジェット旅客機『B777X』

翼端渦の発生をおさえて空気抵抗を減らす最新鋭機

右の写真はボーイングのジェット旅客機「B777X」です。大型のワイドボディ機であるB777の派生型で，エンジン2基の双発機としては世界最大の大きさをほこり，B777より約10センチメートル広い客室幅をもちます。

飛行中に発生する翼端渦（くわしくは84ページ）をおさえるために，B777Xは全幅を71.8メートルとB777（-200型）より11メートルほど大きくしています。**主翼をより細長く（アスペクト比を大きく）し，かつ翼端を，後退角がついた「レイクド・ウィングチップ」という形状にすることで，ウィングレットを装着するよりも軽く，同様の効果を得られているのです**。この主翼は、炭素繊維複合材でできています。

ただし，全幅が65メートルをこえると，既存の空港設備では対応することができなくなってしまいます。そこで考えだされたのが，“折れ曲がる翼”です。必要に応じて主翼の長さを短くすることで，ほかの大型旅客機と同様に運航することができるというわけです。

期待されるB777Xの初飛行

2020年に初飛行が行われ，初納入は2025年を予定しています。B777Xで注目すべきは機体のメカニズムだけではありません。より大きな窓や高い静粛性，最適な気圧・湿度など，B787で採用された技術が数多く盛りこまれた客室は，私たちに快適な移動時間を提供してくれるはずです。

太陽光を使って飛行するソーラープレーン

スマートフォンやインターネットの中継局にもなる

ここでは，とても環境にやさしく，災害時などでも活躍が期待される飛行機を紹介しましょう。

現在，ジェット飛行機は，燃料を燃焼させることで飛行しています。そのため，大量の二酸化炭素や窒素酸化物が上空で排出されており，環境への影響が懸念されています。**この問題を解決するために研究されているのが，太陽光を利用して飛行するソーラープレーンです。**

ソーラープレーンは，故障しないかぎり半永久的に飛行できるといいます。無人の飛行機を高度20キロメートル以上の上空（成層圏）で飛ばしつづければ，スマートフォンやインターネットの中継局として利用することもできると考えられています。

従来の地上の無線基地局は建物などの障害物の影響が大きく，人工衛星を利用した無線基地局は地上に届く電波が弱かったり時間差が生じたりします。ソーラープレーンは，このような課題を解決できるかもしれません。

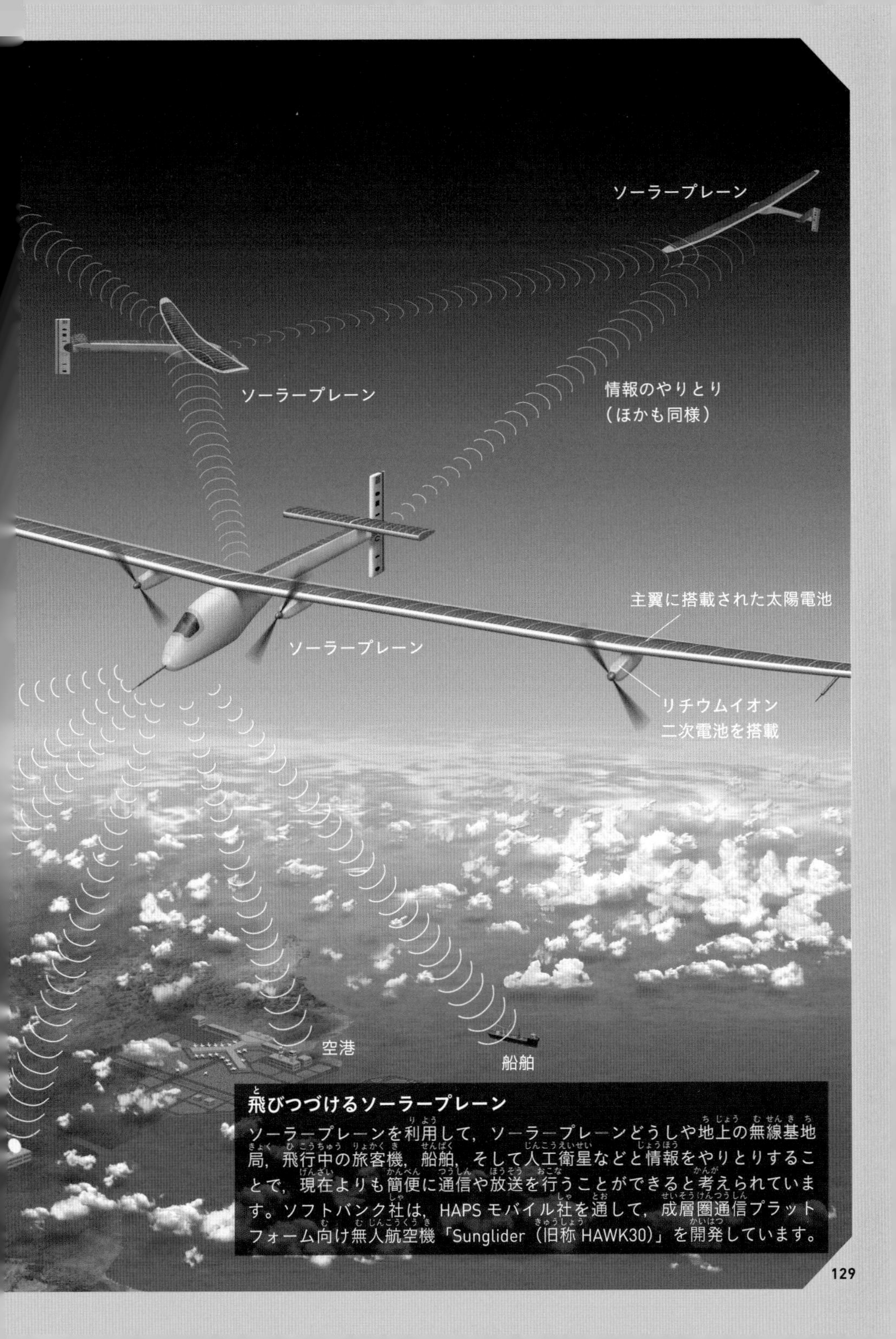

飛びつづけるソーラープレーン

ソーラープレーンを利用して，ソーラープレーンどうしや地上の無線基地局，飛行中の旅客機，船舶，そして人工衛星などと情報をやりとりすることで，現在よりも簡便に通信や放送を行うことができると考えられています。ソフトバンク社は，HAPS モバイル社を通して，成層圏通信プラットフォーム向け無人航空機「Sunglider（旧称 HAWK30）」を開発しています。

超音速旅客機『MISORA』

上下2枚の主翼で，衝撃波を吸収する

陸の上空での超音速運航も可能に！

「MISORA」は，東京－ニューヨーク間を約6時間でつなぎ，しかも従来の超音速機が発する巨大な騒音をほとんど出さないといいます。MISORAのソニックブームは，「コンコン」というノックの音程度です。騒音の心配は小さく，陸の上空での超音速運航も可能であると考えられています。

❶客席など
1枚翼の超音速旅客機は，機体が大きいほど巨大な「ソニックブーム」が出るため，定員10名程度が限界といわれています。しかしMISORAは，縦横に広い客室で100名程度の乗客を運ぶことができると考えられています。

❷フラップ
翼の一部を折り曲げ，空気の流れを変える装置。MISORAは，飛行場を飛び立ってからマッハ1.7に到達するまでに，翼に強い空気抵抗を受けます。そこで，フラップを動かして，空気抵抗を弱める手法が検討されています。

❸翼端板（ウィングレット）
上下の翼を両端で固定する板。超音速で飛行するとき，2枚の翼の間では衝撃波が発生し，空気の圧力が高くなっています。圧力で2枚の翼の間隔が広がらないよう，固定されています。

❹高温複合材
翼の先端は，空気摩擦などの影響で，100℃程度まで上昇すると考えられています。そのため，機体は「炭素繊維」とよばれる強い繊維を，熱に強いプラスチックで固めた素材でつくられています。

❺エンジン
MISORAには，中央に2基，左右に1基ずつ，計4基のエンジンが搭載される予定です。

機体の飛行速度が音速（秒速340メートル）をこえると，衝撃波が発生し，急激に抵抗が増加します。そのため従来の超音速旅客機は，強力なエンジンと大量の燃料が必要でした。この衝撃波は，機体が大きく，高速で飛行するほど強くなるといいます。

また，上空で発生した衝撃波が地上に到達すると，「バンバン」と爆音が2回発生します（ソニックブーム）。**東北大学が研究している次世代超音速旅客機「MISORA」は2枚の翼（複葉）で機体をはさむことで，この問題を解決しようとしています。**

MISORAも，超音速飛行時に衝撃波を発します。ただしそのほとんどは2枚の翼の内側で発生し，たがいに打ち消し合います。さらに，通常は翼の下に配置することが多いエンジンを，2枚の翼の間にはさみ，客席などの胴体部分を翼の上に置いています。**翼を中心に機体を構成する「全翼機」とすることで，ソニックブームを従来の25%程度におさえられるといいます。**

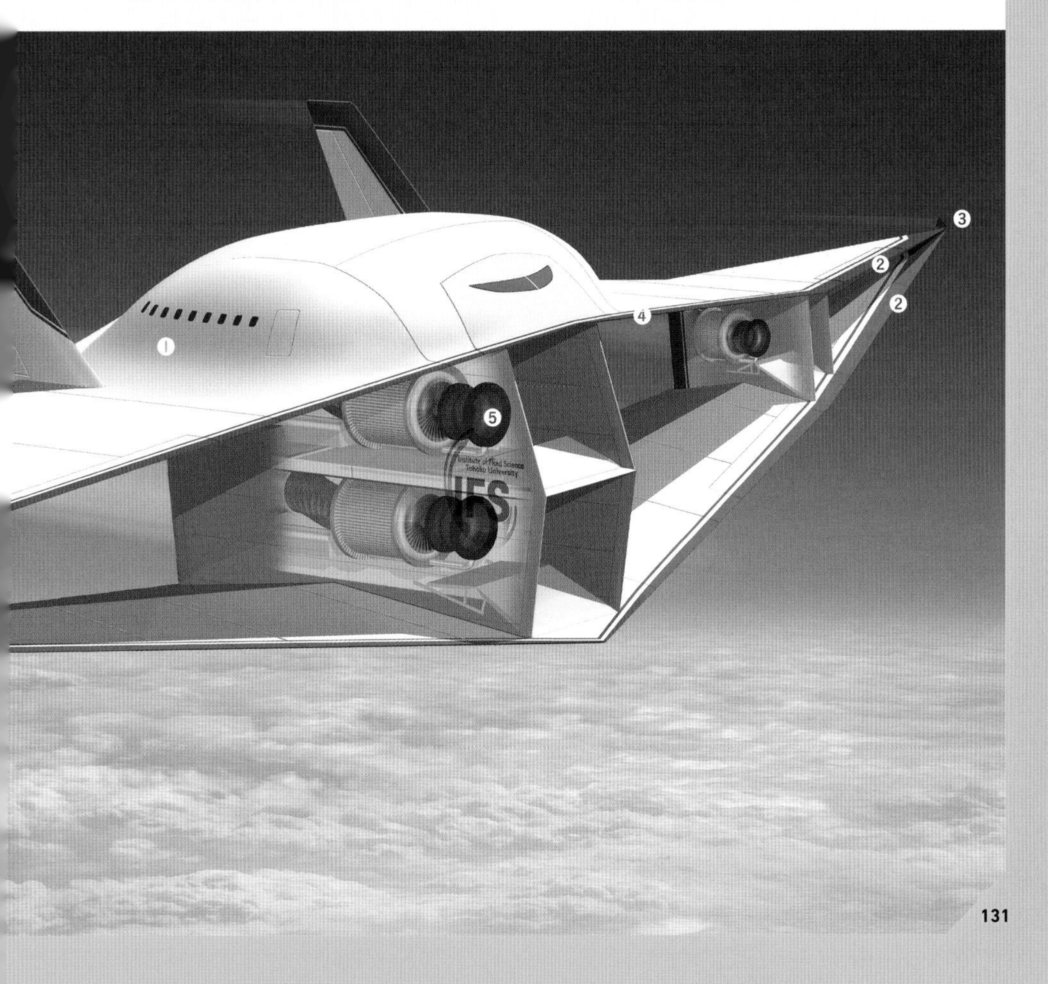

おどろくべきスピードの極超音速旅客機

コンコルド以来，ふたたび注目を集める超音速機

着々と進む極超音速旅客機の開発

このほかにも，JAXA（日本・宇宙航空研究開発機構）やヴァージン・ギャラクティック社（アメリカ），ボーイング社（アメリカ）では，それぞれ独自に超音速旅客機の開発を予定しており，どれもマッハ3～5の飛行を計画しているようです。

オーバーチュア

現在オーバーチュアの開発は，2020 年に完成した 3 分の 1 のサイズの試験機「XB-1」でテストを重ねる段階まで進んでいます。ユナイテッド航空はすでに発注を行っており，2029 年の就航が予定されているようです。

2003年に退役したコンコルドは，プロトタイプを合わせてもわずか20機しか生産されませんでした。**しかし，技術の進歩や需要増大への期待感により，超音速旅客機は現在ふたたび注目を集めています。**

私たちが最も近い将来に目にするであろう超音速旅客機が，アメリカ・ブームテクノロジー社の「オーバーチュア（Overture）」です。速度はマッハ1.7，座席数は65～88席で，搭乗価格はファーストクラス並みになる見込みです。飛行には二酸化炭素の削減に効果のあるバイオ燃料の使用が予定されています。この開発計画には，日本航空（JAL）も出資しています。

また，2018年からNASAで開発が進められているのが，有人の低ソニックブーム実験機「X-59 QueSST」です。設計はロッキード・マーティン社が担当し，2023年に初飛行が予定されています。

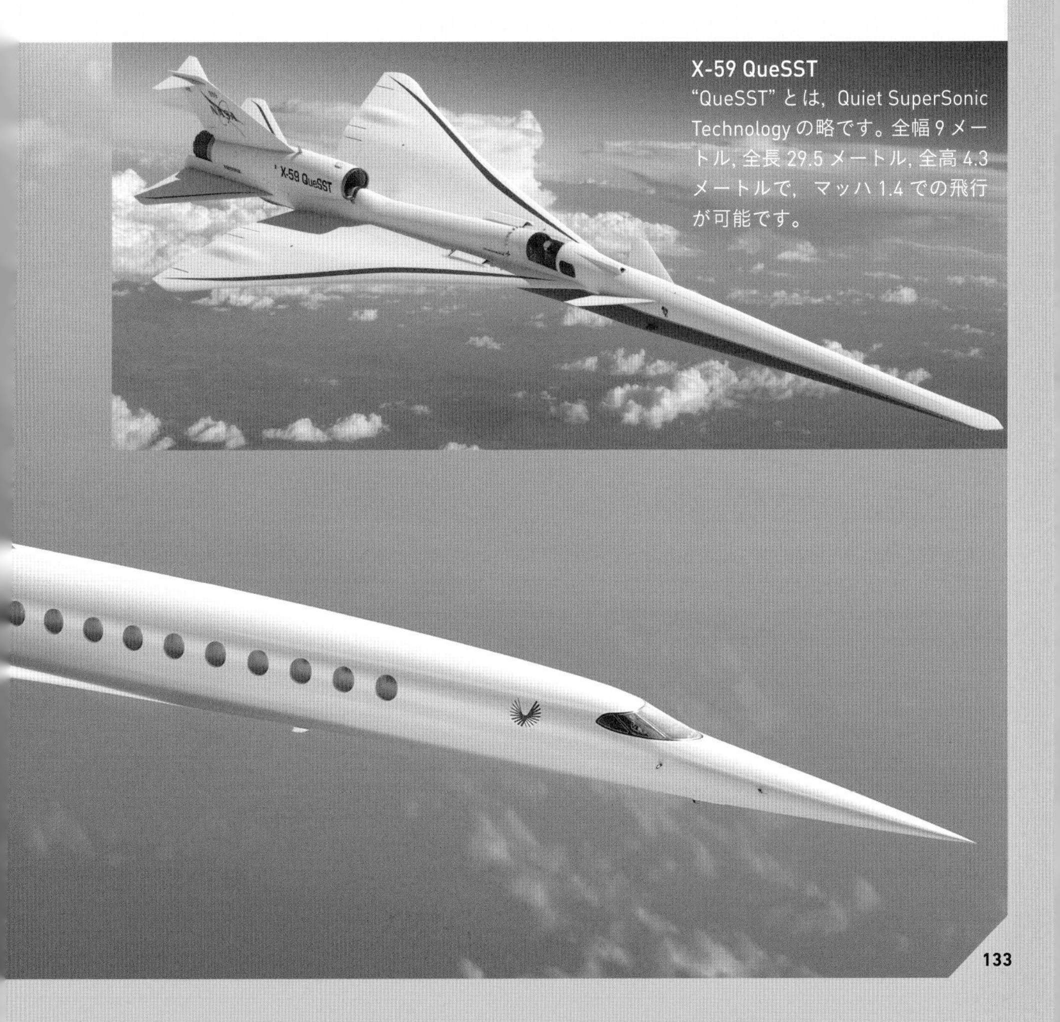

X-59 QueSST
“QueSST” とは，Quiet SuperSonic Technology の略です。全幅 9 メートル，全長 29.5 メートル，全高 4.3 メートルで，マッハ 1.4 での飛行が可能です。

もはやフィクションではない“空飛ぶ自動車”

自動車を飛行機としても使うアイデアは，実は歴史が長い

「もしも車が空を飛んだら，渋滞に巻きこまれずにすむのに……」と考えたことのある人も多いかもしれませんが，**“空飛ぶ自動車”の歴史は意外に古くからあります。たとえば1940年に，T型フォードで自動車の量産化を成功させたアメリカのヘンリー・フォード（1863～1947）は，「飛行機と車が融合した乗り物が登場する日がやってくるにちがいない」とのべています。**1949年には，アメリカの航空技術者モールトン・テイラー（1912～1995）が「エアロカー」を開発しました。

右上の写真は，スロバキアのクライン・ビジョン社が開発した「エアカー（AirCar）」の試作1号車（機）です。最大ふたり乗りで，BMW社製のガソリンエンジンを動力源としています。

飛行の際はボタン一つで翼が展開され，コックピット後方に配されたた大型のプロペラを回転させることで推力を得ます。2021年6月30日に行われた試験飛行では，約70キロメートルを35分間飛行し，その後市街地まで自走しました。

PAL-V リバティ
オランダ・PAL-V社が開発中の空飛ぶ車。全幅2メートル，全長4メートル，全高1.7メートルの大きさです。

エアカー

ボタンを押すと，車体（機体）後方の尾翼部分が後方にスライドし，後輪内側付近に折りたたまれた状態で収納されている主翼がせり上がり，展開されます。これらのアクションが完了するまでにかかる時間は，わずか3分ほどです。

エアロモービル

スロバキアのエアロモービル社が開発するエアロモービル4.0。全幅2.2メートル（飛行時は8.8メートル），全長6メートルで，最大ふたり乗り。最大航続距離は520～740キロメートル，2024年の納車開始を予定しています。

最新の飛行機と次世代航空機

環境にやさしいハイブリッド飛行機

脱炭素化の波は大空にも押し寄せる

ZEROe

エアバス社はZEROeのほかにも，既存のジェット機とターボプロップ機のエンジンを改良し，水素を燃焼して飛行できるようにしたモデルを提案。ゼロエミッション※1飛行を，2035年までに実用化させるとしています（水素を使用する場合は空港設備の大改修が必要であり，国との連携や支援が不可欠であるともしています）。

※1：排出物（二酸化炭素など）や廃棄物をゼロに近づけるという概念で，1994年に国際連合大学により提唱されました。

画像提供：AIRBUS

近年，陸上では電気自動車の開発が急速に広がりつつありますが，**航空機にも「脱炭素化」の波が押し寄せています**。たとえば2021年6月には，既存のジェット燃料に，藻類や木質バイオマスなどをもとに製造したSAF（持続可能な代替航空燃料）をまぜて飛行するテストが，国主導のもと，JALとANAの旅客機で実施されました。

また，エアバス社は2020年9月に，3種類の水素を燃料とする旅客機「ZEROe」のコンセプト機を発表しました。左下の画像の機体はその一つで，主翼と胴体が一体となったボディ形状となっています。動力装置はターボファンエンジンと電動モーターを直結したハイブリッド型で，離陸・上昇時に電動モーターを使うことでエンジンを小型化できるため，飛行効率が上がるといいます。

シュガーボルト

ボーイング社は2006年から，NASAと共同で「SUGAR（Subsonic Ultra-Green Aircraft Research）」とよばれる次世代旅客機の開発に向けた研究を進めています※2。空気抵抗や翼端渦を低減する薄くて長い主翼，ジェットエンジンとモーターによるハイブリッド動力，および天然ガス（LNG）を用いた動力など，2030～40年に実現できる可能性のある方法が検討されています。

※2：ボーイング社は遷音速トラス支持翼機（Transonic Truss-Braced Wing, TTBW）の開発も進めています。NASAと共同開発する新しい単通路機で，燃料消費量およびCO_2排出量を最大30％削減することを目標にしています。

画像提供：ボーイング

近未来の“タクシー”になるか『eVTOL』

近い将来，私たちは日常的に空を飛ぶようになるかもしれない

Honda eVTOL
複数のローターは，それぞれ独立に制御されます。航続距離は約400キロメートル，定員は4人以上を想定しており，2030年以降の事業化をめざしています。なお，ホンダはハードの開発だけにとどまらず，予約システムやインフラ，運航システムなどを組み合わせた新しいモビリティエコシステムを実現し，新たな都市間交通サービスの提供をめざしているといいます。

動力装置の完全な電動化については，中・大型飛行機ではむずかしいものの，小型飛行機や1～5人乗り程度の航空機では，実現可能になりつつあります。

近年とくに注目を集めているのが，電動の垂直離着陸機「eVTOL (electric Vertical Take Off and Landing)」です。ホンダは現在，ドローンとヘリコプターを足し合わせたような見た目をもつ「Honda eVTOL」を開発中です。現時点ではガスタービンエンジンとモーターで駆動する方法を想定していますが，将来技術が発達した際には，完全電動化も可能であるといいます。

eVTOLは今後急成長する分野であるとされ，ホンダのほかにも，ドイツのボロコプター社やアメリカのウーバー社，日本のスカイドライブ社など世界各国のメーカーが開発を進めています。**これらは“空飛ぶタクシー”のような使用が想定されており，近い将来，私たちの生活を大きく変える可能性を秘めています。**

X-57 マクスウェル

NASAが開発する実験用電動飛行機で，イタリア・テクナム社の「P2006T」をベースに改造されています。主翼の前縁には小型のプロペラが，翼端には大型のプロペラ（すべてモーター駆動）が計14基並びます。小型のプロペラは，翼上面を通る空気の流れをふやすことで揚力を増加させる役割があり，離着陸時のみ使用されます。巡航時は小型のプロペラが折りたたまれ，大型プロペラのみを使って飛行します。現在，初飛行に向けて作業が進められています。

画像提供：NASA Langley/Advanced Concepts Lab, AMA, Inc.

おわりに

これで『飛行機のしくみ』はおわりです。いかがでしたか？

当たり前のように優雅に空を飛ぶ飛行機の機体には，実にさまざまな科学技術が結集していたことを実感できたのではないでしょうか。私たちが安心して快適な空の旅を楽しめるのも，機体を精密に制御し，あらゆる危険から守るためのしくみがあるからなのです。

これらの飛行技術を，人類は一朝一夕で手に入れたわけではありません。ライト兄弟をはじめとした先人たちが，まさに命をかけて積み上げてきた結晶なのです。そして今，飛行機は次の世代へと移ろうとしています。映画に出てきたような，極超音速の旅客機や空飛ぶ自動車が，まさに現実のものになろうとしているのです。

この本を読んで，次に飛行機に乗るのが，今から楽しみになったという人もいることでしょう。飛行機についてもっとくわしく知りたい！　と思ってもらえればうれしいです。

曲がったり反射したり
光は不思議な性質をもつ

夕焼け空にダイヤの輝き，
光を知ればしくみもわかる

身近で便利な科学技術にも，
光は欠かせない存在!

―― 目次（抜粋）――

Staff

Editorial Management	中村真哉
Cover Design	秋廣翔子
Design Format	宮川愛理
Editorial Staff	上月隆志，谷合 稔

Photograph

25	AIRBUS GROUP 2016 - photo by A.DOUMENJOU/ master films
49	camnakano/PIXTA
50	Newton Press
53	Ander Dylan/shutterstock.com
57	Rolls-Royce plc， Airbus， supakitswn/ shutterstock.com
58-59	Rolls-Royce plc
62～65	Airbus
67	supakitswn/shutterstock.com， BoxBoy/ shutterstock.com
68	Media_Works/stock.adobe.com
69	iStock.com/Jacek_Sopotnicki
70-71	株式会社ジャムコ
73	Wolfgang/stock.adobe.com， schusterbauer.com/ shutterstock.com
74-75	bongkarn/stock.adobe.com
76-77	Chalabala/stock.adobe.com
78-79	Viacheslav Yakobchuk/stock.adobe.com
85	Marimo/stock.adobe.com
89	aapsky/stock.adobe.com， Arpingstone.
91	Paco Rodriguez
101	Newton Press
103	Newton Press
105	八幡浜市教育委員会，NASA
115	八幡浜市教育委員会，国立国会図書館
116-117	Newton Press（協力：所沢航空発祥記念館）
119	NASA，AP/アフロ
120-121	©Getty Images
122-123	Newton Press（協力：所沢航空発祥記念館）
125	本田技研工業株式会社，Airbus，Klein Vision
126-127	ボーイング
130-131	倉谷尚志・大林茂・佐藤哲也
132-133	Boom Supersonic
133	NASA
134	APAL-V（www.pal-v.com）
134-135	Klein Vision
135	EROMOBIL
136	AIRBUS
137	ボーイング
138	本田技研工業株式会社
139	NASA Langley/Advanced

Illustration

表紙カバー	Newton Press（【飛行機】FrankBoston/stock. adobe.com,【背景】miiko/stock.adobe.com
表紙，2	Newton Press（【飛行機】FrankBoston/stock. adobe.com,【背景】miiko/stock.adobe.com
7	Newton Press
9～23	Newton Press
27～33	Newton Press
34-35	吉原成行
36～47	Newton Press
48-49	Newton Press・ChaiwutNNN/stock.adobe.com
50-51	Newton Press
53	Newton Press・Artem/stock.adobe.com
54-55	Newton Press
60-61	Newton Press
66	羽田野乃花
71	jules/stock.adobe.com， Graficriver/stock.adobe. com， dzm1try/stock.adobe.com， salim138/ stock.adobe.com
72	SUE/stock.adobe.com
81～83	Newton Press
85～87	Newton Press
93	Newton Press，【フライトレコーダー】alexlmx/ stock.adobe.com
94～100	Newton Press
103	Newton Press
105～113	Newton Press
128-129	Newton Press
141	吉原成行

初出記事へのご協力者（敬称略）：
浅井圭介（東北大学大学院工学研究科航空宇宙工学専攻教授）
大林 茂（東北大学流体科学研究所教授）
倉谷尚志（東北大学流体科学研究所研究員〔2008年6月まで在籍〕。現在，株式会社本田技術研究所先進技術研究所研究員）
今野友和（公益財団法人 航空科学博物館 学芸員）
佐藤哲也（早稲田大学基幹理工学部機械科学・航空宇宙学科教授）
渡邉 聡（サレジオ工業高等専門学校電気工学科教授）

本書は主に，ニュートンライト2.0『飛行機』，ニュートン別冊『飛行機のテクノロジー　改訂第3版』，ニュートン別冊『ビジュアル飛行機図鑑』の一部記事を抜粋し，大幅に加筆・再編集したものです。

超絵解本
なぜ空を飛べるのか
飛行機のしくみ 身近な旅客機から未来の航空機まで

2023年10月10日発行

発行人　高森康雄
編集人　中村真哉
発行所　株式会社 ニュートンプレス
〒112-0012東京都文京区大塚3-11-6
https://www.newtonpress.co.jp

ISBN978-4-315-52739-1